AN CLÁR

Loscadh Sléibhe

Tomás Mac Eoin
agus
Máire Uí Fhlatharta

Éanna Mac Cába
a chuir in eagar

Cló Iar-Chonnachta,
Béal an Daingin,
Conamara

An Chéad Chló 1989
© Cló Iar-Chonnachta Teo., 1989

An Clúdach: Pictiúr le Seán Ó Flatharta

Dearadh:
Micheál Ó Conghaile
Seosaimhín Ní Chonghaile

Clóchur: Cló Iar-Chonnachta Teo., Conamara. 091-72137
Priondáil: Clódóirí Lurgan Teo., Conamara. 091 -93251/ 93157

Réamhrá.

Tá an aithne chéatach ar mhuintir Mhic Eoin ón gCeathrú Rua le fada an lá i ndáil leis an amhránaíocht, an chumadóireacht agus an drámaíocht. Seo anois á chur os cóir an phobail don chéad uair bailiúchán iomlán dá gcuid idir dhánta, amhráin agus agallaimh beirte. Cuirfear fáilte go háirid roimh phíosaí ar nós An Cailín Álainn, Amhrán an Bhingó, Trá an Dóilín agus An Rock an' Roll nó Bleán na Bó atá i mbéal an phobail le fada ach tabharfar suntas freisin don chuid atá á bhfoilsiú don chéad uair. Baineann cuid mhaith acu le saol an lae inniu agus riar acu a dhéanann comóradh ar dhaoine mór le rá atá ar shlí na fírinne anois. Tá ábhar éagsúil agus fairsing iontu.

Ar bhealach, gabhann Tomás agus Máire chucu na cúraimí fileata céanna sin a bhí ariamh anall ar an bhfile sa saol Gaelach — an moladh, an caoineadh, an comóradh, an magadh agus ar ndóigh filíocht an dúlra. Tá siad sa líne céanna le Rafturaí agus Micheál Mac Suibhne. Is í éigse an bhéil bheo í go crufanta. Fágann sé sin gur minicí súil amach aici ar imeachtaí an tsaoil agus ar chás an duine i gcoitinne seachas féachaint isteach sa duibheagán pearsanta. Is túisce léi cás an phobail ná cás an duine aonair agus is minicí í ag plé leis an gcuid chomónta de thaithí agus de eispéaras an duine ná leis an gcuid fhéiniúil aonair. Ní lúide a tábhacht an scéal a bheith amhlaidh. Tá an cineál seo cumadóireachta fréamhaithe go daingean i dtraidisiún filíochta na Gaeilge.

Má théann an fhilíocht seo ar "chasán dearg na muintire" go minic ní hé sin le rá go gceiltear sainghlór an fhile ach oiread. Ní hé amháin go bhfuil anáil an fhile le brath ach tá freisin a chló, a leagan amach agus a dhearcadh le tabhairt faoi deara. Tá an file fite fuaite leis an bpobal, is de dhlúth agus d'inneach an phobail é ach tá sé ar fán uaidh san am céanna. Seasann sé amach ón bpobal de bharr a cheirde. Is é an file a chuireann cruth an fhocail agus leagan na cainte ar thaithí, ar mhian agus ar thuairim aigne an phobail. Ach is minic é ag priocadh freisin más go ciúin féin é de ghnáth. Glór dilís an fhile a labhrann bíodh is go bhfuil an ráiteas ina shéala agus ina scathán ar ghuth an phobail. Is leis an bhfile an dán ach is minic a phobal ag labhairt tríd. D'fhéadfaí a rá mar atá curtha síos faoi Phádraic Ó Conaire gur "...anseo a bhí a thearmann, a theacht chun calaí." Cé déarfadh mar sin nach scáfar agus nach uaigneach í gairm na fílíocht rud is léir i gcuid den fhilíocht seo fiú nuair atá an greann agus an magadh ina orlaí tríthi.

Tá an greann tábhachtach do na filí seo. Déarfadh Tomás gur fonn gáire a bhaint as daoine is mó a spreagann an dán agus an t-amhrán ann. Féachann sé mar atá ráite faoi Ainde Ó Ceallaigh, file Thír an Fhia, leis "an saol a mhealladh chun grinn." Cé go bhfuil cáil na hamhránaíochta agus na cumadóireachta air agus go rithfeadh ceathrú nua leis ar iompú do bhoise, ní mar fhile a fhéachann sé ar féin sa gcéad áit. Is gaire go mór dá chroí an drámaíocht agus an siamsa ceoil rud a thug os cóir an phobail é go luath ina shaol agus a d'fhág clú agus cáil air anseo in Éirinn agus thar lear. Tá an tréith chéanna ag baint le Máire freisin. Cé go bhfuil luí ar leith aici leis an liric agus go gcumann sí dánta dúlra atá ar áilleacht ar fad, tá an-tóir aici ar an agallamh beirte freisin.

Mar gheall ar mhianach na filíochta seo a bhfuil cuid mhaith dhi cumtha le fonn ceoil ar aon nós, tá sí níos feiliúnaí don aithris os ard ná don léamh os íseal. Rithimí na cainte atá chun tosaigh inti. Is cuid bhunúsach dá saintréithe an cur síos agus an tuairisc agus cuireann an drámatúlacht fuinneamh agus téagar inti. Fágann sin a shéala féin ar an bprosóid mar go leantar na pátrúin agus na múnlaí cumadóireachta is dual dá cineál agus dá mianach.

Ba ghné shuntasach de shaol na Gaeltachta ariamh anall cumadh na ndánta agus na n-amhrán agus gné freisin a bhfuil an-bhorradh fúithi arís sna saolta seo. Bhí páirt mhór ag Tomás agus a dhriofúr Máire san athbheochan liteartha agus éigse seo. Ba iad go fiú ba chionsiocair le cuid mhaith dhe mar go raibh siadsan ag cumadh agus ag saothrú na héigse i bhfad roimhe sin; bhí go deimhin ó bhí siad ina ndéaga. Tuige nach mbeadh agus a raibh de spreagadh agus de lón insparáide acu ar leic an teallaigh óna muintir agus óna seacht sinsear anuas. Nach ansiúd a bhíodh na hamhráin, na scéalta agus an seanchas! Oidhreacht shaibhir fhairsing a bhí beo beathaíoch ar bhéala na ndaoine agus a gcaithfí a bheith cinnte go dtabharfaí amach an leagan a bhí cóir ceart aisti! D'ól siad go fuíoch as tobar an tseanchais agus as sruth glé na hamhránaíochta gur bhrúcht aníos iontu féin ní hé amháin bua na hamhránaíocht ach mian na cumadóireachta úrnua chomh maith. Fuair siad ugach agus cúnamh ó mhúinteoir gairmscoile ar an gCeathrú Rua, Bríd Bean Uí Chonaire, beannacht Dé léi, le páirt a ghlacadh in imeachtaí éigse agus seanchais a bhíodh á reachtáil faoi choimirce Choiste an Ghairmoideachais rud a thug os cóir an phobail iad go luath ina saol. Is grinn agus is barrainneach an chaoi a bhrathann siad an saol agus an duine agus is dílís duineata mar a ghearrann siad cló an amhráin agus feisteas na fílíochta.

Tá ionad an-tábhachtach ag filí ar nós Máire agus Tomás i saol na linne seo. Tá siad i gcois dá leith ar an saol atá scuabtha leis agus an saol nua-aoiseach. Is minic an dá shaol i gceist ina gcuid saothair. Ar bhealach is iad a mhaolaíonn an bhuairt agus an deacracht a bhaineann leis an athrú saoil nuair atá daoine a mbaint dá gcleacht agus is minic iad ag déanamh ré an achair mar go gcoinníonn siad os cóir an phobail an rud a bhfuil tábhacht agus fiúntas leis.

Ní hé an chuid is lú den teiripe seo an greann agus an magadh, an dáimh le dán agus amhrán agus an dáimh leis an bhfód dúchais. Ní iontas ar bith dá bhrí sin go bhfuil pobal agus lucht éisteachta acu.

Bainfear sásamh agus taitneamh as ábhar an leabhair seo mar gheall ar fhairsinge an ábhair ann, an uaisleacht meoin, agus gléine an fhriotail. Más í cáil na hamhránaíochta agus na haisteoireachta is mó a bhí orthu cheana feicfear sa leabhar seo nach lú ná sin díol a molta as feabhas a gcuid cumadóireachta.

Éanna Mac Cába.
Deireadh Fómhair 1989.

* * * * *

I gcuimhne ar
ár n-athair
agus ár máthair

BAILE AN BHÓTHAIR BHUÍ

Fonn: *Seán Ó Duibhir a' Ghleanna*

Tráthnóna aoibhinn earraigh
Ar chnocán ard an bhaile,
Shín mé seal ag machnamh
Ar chora casta an tsaoil,
Ag dul siar ar bhóithrín m'aigne
Go laetha órga fada,
Is mé óg i dtús mo reatha
I mBaile an Bhóthair Bhuí.

Amach uaim bhí na Beanna
Mar óglaigh i bhfeisteas catha
Is iad ré le fód a sheasamh
Ó Ré na gCloch aniar
I gcoinne scrios nó slada,
Ruaig ó mhuir nó ó thalamh,
Ar chine Chonamara,
Ó Mhám go Bóthar Buí.

Ba é mian mo chroí is mé ag dearcadh
Ar áilleacht loch is gleanna,
Dá gcuirfeadh Dia i m'acmhainn
An bua is ársa ar saol,
An radharc seo a bhreacadh ar chanbhás
Le scil dhathadóirí an tseanreachta,
Dar teideal, "Radharc na bhFlaitheas
Ó Bhaile an Bhóthair Bhuí."

Thíos le taobh an Chalaidh
A chónaigh Siobhán Anna;
Mar leacht a sheasann ballaí
A teaichín beag ceanntuí;
Go húr i mo chuimhne maireann
A mac beag, is a athair
A sciob crúb chrua na mara
Ó chladaí an Bhóthair Bhuí.

Fásann cogal is raithneach
Sa gclúid ar ar chuir mé aithne
Ar Ghráinne, is Diarmaid Gaiscíoch,
Agus ar Ullóir Mac an Rí,
Ar amhráin dhúchais sheana;
In airde a cinn a chas sí,
A glór mar chaoineadh mara
Ar chladaí an Bhóthair Bhuí.

"Hóra, a Mháire Mhantach,
Gabh anuas anseo ón tairseach
Is scaoil a'm cupla ceathrú
De 'Chúirt an tSrutháin Bhuí.'"
"Mo ghrá go deo thú a leanbh,
Ach mo chomhairle dhuit gan brath
Ar do ghlór mar shlí bheatha
Amach anseo i do shaol."

Feicim fós í ag gearradh
Lena lámh a bhí chomh cnapach
Píosa cháca is jeam air.
Ba é seo mo luach saothair;
An gliondar croí mo thachtadh,
Théinn de rite reaite
Le mo "dhuais" a 'spáint sa mbaile

Sul dá mbainfinn as aon ghreim.
Ar chnocán ard an bhaile,
Tá tarbh *Tim* mo dhearcadh;
Tá mé ag caoineadh leis an bhfaitíos
Ach tá *Tim* ansin 'na shuí;
"Ó gabh i leith anseo, maith an cailín,
Is déan láichín leis más maith leat,
Is má itheann sé de phlaic thú,
Nach gcacfa' sé thú arís."

Tá *Tim* is Siobhán Anna
Le fada an lá ar Neamh thuas,
Ag dea-chaint le Naomh Peadar,
Ag déanamh grinn is ag gabháil fhoinn.
Tá an bheirt ar choiste eagraíochta
A fháiltíonn roimh gach anam
Atá ar a mbealach as an mbaile,
Is ar an mbóithrín casta aníos.

Tráthnóna aoibhinn earraigh
Ar leiceann chnoc an bhaile,
Stop na héin ag cantain,
Ag fáil ré le' codladh oíche;
Amach uaim bhí na Beanna,
A gcloigne in ucht na scamall,
Iad á luascadh le ceol mara
Ó chladaí an Bhóthair Bhuí

LOCH NA TAMHNAÍ MÓIRE

Iomar criostail
I mbachlainn ghleann sléibhe
Í Loch na Tamhnaí Móire.
A sruth mar eascann chodlatach shéamhar
Á tarraingt fhéin go leisciúil éasca
An t-aistear casta go Béal na Céibhe.

Scáthán leathan
I ndrúcht na maidne
Í Loch na Tamhnaí Móire.
Crann is teach le ciumhais a cladaigh
Ag breathnú isteach orthu fhéin ag damhsa
Sa scáile neamhdha
Faoi spéir gan scamall

Brat ór-dheannach
Faoi ghrian bhuí scartha
Í Loch na Tamhnaí Móire
Ar a snámhann cearca fraoigh, is lachain,
Is an eala gheal,
Í ag cuartú thart ann ábhar a leapan.
Ceolchoirm éan san aer ag cantain
Tráthnóna faoi ghrian an earraigh ag dul i dtalamh.

TRÁ AN DÓILÍN

Más duine faoi bhrón thú, glac le mo chomhairle,
Is í Trá an Dóilín a thógfas do chroí.
Éist thríd an gciúineas le glórtha na dtonnta
Is gheobhaidh tú fuascailt ó thrioblóidí an tsaoil.

Curfá:

A Thrá an Dóilín, ó molaim go deo thú,
Tá tú aoibhinn is álainn de ló agus d'oíche;
Ní bréag é ná ráiteas gur tusa is áille,
Thug tú barr breáthacht ó thránna an tsaoil.

Tá radharcanna áille le fáil a't san áit seo
Ó shléibhte Iar-Chonnacht go hÁrainn na Naomh.
Siúil cois na trá síos tá aoibhneas i ndán duit,
Níl aon áit mar an áit seo is an ghrian ag dul faoi.

Curfá

Ag cur lena breáthacht tá currach is bád ann
Is cé déarfadh nach álainn an radharc iad ag tíocht;
Níl ceol ann níos breáichte ná ceol maide rámha
Is na tonnta ag ardú is ag briseadh os a gcionn.

Curfá

13

LOCH NA NAOMH AR LÁ FHÉILE MHIC DARA

Buaileann clog na heaglaise
I gceol lánghlórach binn
Ag fógairt íobairt bheannaithe
Ar fhéile mhór ár naoimh.
Íobairt, oidhreacht aspalda,
Tine Gael le céadta bliain
A d'fhág Mac Dara fadaithe
Ar bhruacha Loch na Naomh.

Glóir do Dhia sna Flaithis thuas
Is dá aonmhac Íosa Críost;
Glac uainne, sliocht Mhic Dara inniu,
An urraim is dleathach daoibh.
Éist lenár nglór in achainí
Mar a d'éist tú glór manaigh
Ó altóir leacrach, charraigeach
Ar bhruacha Loch na Naomh.

Glac faoi scáil do cheansachta
Is treoraigh, a Spiorad Naomh,
Gach anam bocht ón gceantar seo
Atá inniu ar thóir do ríocht',
Ar ar bhain a nglórtha macalla uair
As na cnoic le airde a nguí,
Is iad ag treabhadh an bhóithrín chasta seo
Go bruacha Loch na Naomh.

A Mhuire, a réalt na maidne,
A chomhartha dóchais croí,
Do do chlann atá ag maireachtáil
Faoi scáil Chrois Chalvairí,
Atá in uaigneas aonraic ospidéil,
Nó a bhfuil an té ab ansa leo
Curtha i gcré na cille thíos.

MAINISTIR NA COILLE MÓIRE

Deirtear, agus tá sé fíor,
go nglaonn sléibhte Chonnachta
ar an taistealaí tromchosach
leanacht air go Conamara siar,
is go meallann siad é
i ngan fhios dó fhéin;
iad ag sméideadh air
a theacht níos gaire
nó go dtagann sé gan choinne,
ar an seod
mar bhróiste lonrach
atá ag deallramh ina mbrollaigh.

Sa gCoill Mhór atá an seod seo,
mainistir — a bhí uair ina caisleán
a thóg Mistéal Anraí
dá bhean is dá chéadsearc Mairéad,
is iad ar mhí na meala,
lá aoibhinn samhraidh,
Mairéad faoi dhraíocht ag Conamara,
d'admhaigh sí dó gur anseo ba mhaith léi fanacht
agus a saol a chaitheamh.

I gceann seacht mbliana
bhí a dteach ina sheasamh,
foirgneamh álainn thar na bearta
de chloch ghlas eibhir Chonamara;
ballaí arda caisealacha
i bhfoscadh bhuaic mhór ard na mbeann,

15

agus scáile an fhoirgnimh
i ngoirmeacht uisce locha an ghleanna.

Agus i sonas sómhar locha an ghleanna
feicim laethanta glórmhara fada
Mhistéil Anraí agus a chéadsearc Mairéad.
Cloisim gáirí agus gleo a gcuid naonúr gasúr
ag spórt is ag cleasaíocht sna póirsí fada.
Feicim Mairéad, í ag fáil réidh
le dhul ar aistear
go dtí an Éigipt, í fhéin is a cara.

Thainic an drochscéala
ar maidin Sathairn;
bhuail an fiabhras buí go fíochmhar Mairéad,
agus sciob sé chun báis í
taobh istigh de sheachtain.
Ina rámhaille bhí sí ag screadach
ar a fear is a páistí,
agus fionnuartas a tearmainn álainn
i gConamara.

Thug a fear céile bocht
a corp abhaile
agus cuireadh Mairéad
lámh le foinsí a teaghlaigh.
A chroí anois briste,
is a spiorad lagbhríoch,
mhair sé os cionn tríocha bliain faoi scamall
bás tubaisteach a chéadsearc, Mairéad.

BANRÍON ÁRANN

Is iomaí cineál amhrán ariamh i mo shaol a dúirt mé,
Is déarfaidh mé níos mó le cúnamh an Ardrí;
Ach seo anois amhrán grá do bhean atá mé a rá,
Mar is í plúr na mban i gcónaí Banríon Árainn.

Curfá:
Is tusa dhomsa, a stóirín, a leigheas mo phian is mo bhrón;
Le do ghlór dá bhféadfainn a bheith ag éisteacht,
Is tú a bheith liom á rá gur liomsa fhéin do ghrá,
Nárbh aoibhinn le n-aithris é mar scéala?

Is tusa ceol na n-éan le fáinne geal an lae
Nó an drúcht go ciúin sna gleannta;
Tá an t-aoibhneas úd i ngrá faoi bhláth ó lá go lá
Don té gur leis do ghrá, a Bhanríon Árainn.

Ní bréag é ná rún gur banríon uasal thú
Is ní hionadh liom go bhfuil na céadta i ngrá leat;
Chonaic mise mná is ba mhór é a gcliú is a gcáil
Ach ní thabharfadh siad an bua ó Bhanríon Árainn.

Curfá

CONAMARA

Curfá:
Conamara, Conamara,
An áit is deise atá sa saol;
Conamara, Conamara,
A Chonamara, is tú mo mhian.

Más duine faoi bhrón thú, éist go fóill liom,
Glac le mo chomhairle is beidh tú buíoch;
Siúil leat, a chara, liom go Conamara,
Ó bhrón i gConamara, beidh tú saor.

Curfá

Tá aoibhneas agus áthas i gConamara i ndán duit,
Tuigfidh tú áilleachtaí an tsaoil.
Gheobhaidh tú grá ann, ní thréigeann an bhláth ann,
I gConamara, is iontach é an saol.

Curfá

Siúil leat cois cuain tráthnóna i dtús samhraidh,
Fair ar an ngrian is í ag dul faoi;
Is aoibhinn 'bheith ag éisteacht le ceol binn na n-éan ann
Ag cur fáilte roimh nádúr an tsaoil.

Curfá

Ná labhair liom ar áilleachtaí thíortha i bhfad ó bhaile,
Is cuma liom má mholann tusa iad;
Na radharcanna is áille, i gConamara atá siad,
Fágfaidh Conamara thú faoi dhraíocht.

18

OIREACHTAS GAEL I DTÍR AN FHIA

Sheas grian an fhómhair ar mhullach Cheann Bóirne,
Bhain searradh as a mórchorp, is chaith di fallaing oíche,
D'fheistigh sí i gclóca de lomra buí órga,
A spréigh ina drúchtdeora le órdheannach mín.
D'iontaigh cnoic ina seoda faoi loinnir a lóchrainn,
Chroch éin a nótaí i nglór meidhreach binn,
Luasc tonn go ceolmhar i mbachlainn an chósta
Ag comóradh ócáid na nGael i dTír an Fhia.

Mar mhórchomplacht óglach a fuair gairm chun slógadh,
Ó airde chríoch Fódla, tháinig óg agus aosta;
A gcuid súl ag lóchrann le spiorad athbheochana,
An dúchas, an dóchas i bpreaba a gcroíthe.
An chaint is an comhrá, agus na hamhráin sean-nósach',
An ceol mall goirtdeorach, nó an ceol meidhreach ríle,
An ghloine fhuar beorach le haghaidh teas na
    díospóireachta,
Ag comóradh ócáid na nGael i dTír an Fhia.

Sheas mé ag éisteacht le píobaire aonraic,
É ina sheasamh ar chnoc féarmhar ón bhfarraige aníos;
Ó scil a chuid méar, shil Caoineadh Uí Laoire,
Thit ciúineas tostbhéalach ar ghéag is ar ghaoth.
Shil allas óna éadan le teann dílseachta d'Éirinn,
Dá ceol a bhí mar cheirín ar chréachta an drochshaoil,
Dá filí a chum véarsaí i gcéin nó i ngéibheann,
Chun go léireofaí a dtréithe inniu i dTír an Fhia.

Anuas ó na spéartha, scread crotach glórghéarach,
Mar bholscaire ag scréachadh lá deiridh an tsaoil,
Nó giolla áibhéalach le scéala dea-mhéine
Ó anamacha Gael atá ar fhéilire naomh;
Anamacha léannta in eachtraí na Féinne,
Fir i mbun téide i gcoimhlint ghéar toinne,
D'fhás as a bhfréamha na seanamhráin Ghaeilge
A thuill cliú na féile do cheantar Thír an Fhia.

Sheas Bríd Ní Mháille ag Corra na Trá Báine,
A súile bocht sáite in ardú gach maidhme,
Go síorraí san airdeal ar a triúr deartháir breá
A sheol ón trá an lá úd is nach bhfillfeadh arís;
Fir nach raibh a sárú i bhfarraige cháite,
A bhí oilte le máistreacht ar ghábhanna na síne,
Ach ba é toil Rí na nGrást gur dhealraigh a "lá cairde"
An lá a spreag í chun dánta ó mheáchan a croí.

B'é Ainde Ó Ceallaigh an file iomráiteach
A raibh ina acmhainn an gnáthshaol a mhealladh chun
    grinn
Lena dhán duibheagánta "Pluid Dhorcha Leára"
A bhí fillte contráilte in aghaidh snáithe sa sníomh;
Nó an píopa cailce cam a d'fhreastal dhá thráth dhó,
Ó thaoscadh an tsáile as an mbád i lár toinne,
Go gail ar a sháimhín i gcuideachta cairde,
Ag ceol oíche airneáin i mBaile Thír an Fhia.

De Bhailís a thrácht ar an bpálás rí-álainn,
Cúirt chumhra bhláthach ar thrá an tSrutháin Bhuí,
A bhí lasta le fáilte roimh ísle is airde,
Is a bhain barr le breáthacht de Chúirt an Mheán-Oíche.
Tá samhlaithe sa dán seo na longa tráchtála
A tharraing fíon Spáinneach mar last ina mbroinn,
Is a tharraing ina dtáinte na mílte thar sáile

Le faisnéis a fháil ar an modh ar dearnadh í.

Mhol Tomás Ó Lochlainn sú glé-ghlas na heorna
A mheall na fir óga chun cortha in aghaidh an dlí,
Ar ar gearradh píonóis a dtéarmaí a fhónamh
Ag spíonadh an ócaim i bpríosún Luimnigh;
Nó an ribín buí bóthair a chroch croí an deoraí,
A shíneann le cósta go hInis Bearachain siar,
A choiscéim ar chomhchéim le "máirseáil fuiseoige"
A bhí ag ceiliúradh ceoil dó san aer os a chionn.

Luigh grian bhuí an fhómhair in ucht Bheanna Beola,
Bhain searradh as a mórchorp, is fuair réidh a cóiriú oíche;
Go hairde Chríoch Fódla, d'fhill aois agus óige,
An dúchas ag dóirteadh thrí chuislí a gcroíthe.
Scread an crotach géarghlórach anuas ó ríocht glóire,
Is threoraigh ár n-amharc i dtreo na bhfilí —
Bhí Ó Lochlainn, Ó Ceallaigh is De Bhailís faoi lóchrann
Ag 'spáint a gcuid mórtais as Baile Thír an Fhia.

21

PÁDRAIG MAC PIARAIS

Fonn: *The Patriot Game*

Pádraig Mac Piarais,
Fear dlí is fear léinn,
A raibh gean ina chroí istigh
Do dhúchas na nGael.
Tá uaisleacht a intleachta
Ag teacht thrí gach scéal
Dár scríobh sé faoi mhuintir
A ghaeltachta bhig fhéin.

D'fháisc Pádraig Mac Piarais
Rosmuc lena chroí,
D'fháisc sé an cultúr,
As a botháin ceann tuí;
An seanchaí ag comhrá,
Nó an bhean óg ag gabháil fhoinn,
Bhí Pádraig, an t-ógfhear,
Go deo faoina ndraíocht.

Thóg sé a theach anseo
I naoi déag is a naoi
In amharc Loch Eiliúrach,
Ina luí ansin sa bhfraoch,
Ina raibh scáile na timpeallachta
Ag damhsa is ag spraoi
Le feiceál istigh inti
Is an ghrian ag dul faoi.

Ba sa teach seo a bhí áras beag
Eoinín na nÉan
A d'imigh le fáinleoga
Go dtí an tír úd faoin ngrian;
Uaigneas a mháthar
an lá ar sciob siad é,
Beidh i gcuimhne gach páiste
Dár léigh ariamh an scéal.

"Cá gcónaíonn tú, a Íosagáin?"
Arsa Sean-Mhaitias lách;
An páiste i ngreim láimhe ann,
Is iad ag dul treasna na sráide;
"Ó bhí mé anseo i gcónaí,
Tá mo theach ins gach áit,
Is tá m'Athair — fear mór é
Le trócaire is grá."

Chuir Pádraig Mac Piarais
A chuid tuairimí i gcló
Ag moladh na hoidhreachta
A d'fhág Emmet is Tone;
Bhí méadú ag teacht
Ar a spéis sa réabhlóid
Mar bhealach chun saoirse
A bheith againn go deo.

Maidin Luan Cásca
I naoi déag sé déag,
Bhí an Ceannphort Mac Piarais
I gceannas, is i réim;
I dtroid a bhí fíochmhar,
Thit laochra na nGael,
Iad gonta agus spíonta,
I gcroí is i ngéag.

23

Cuireadh an Piarsach
Mar choirpeach chun báis;
D'iontaigh an gníomh seo
An taoille ar an trá.
Ón aithinne bheag bhídeach
A fadaíodh Luan Cásca,
Scaip lasrach mhór mhillteach
I gceann achair ghearr.

Le n-aithris:
Smaointe deiridh an Phiarsaigh.

Feicim os cóir mo shúl
Taobh tíre álainn;
Feicim aibhneacha ag rith anuas ó chnoca arda,
Iad ag sioscadh le cairde aibhneacha
Thíos sna gleannta.
Feicim iad á n-eagrú fhéin isteach sa mórshiúl
Síos chun na sáile.
Feicim Loch beag Eiliúrach — iomar criostail —
Ansin ina luí ar a sháimhín.
Istigh ann tá scáile na timpeallachta
Faoi ghrian an tráthnóna ag dealramh.
Feicim uaim Iar–Chonnacht, mo áitse,
Áit iargúlta mo thíre — a Thiarna, is mór mo ghrá di.
Mar íobairt ó altóir bhocht mo thíre,
Ofráilim dhuit, a Thiarna,
M'anam is mo shaothar saoil ar son saoirse
Ó shlabhraí crua na sclábhaíochta.

Smaointe ó Mháthair an Phiarsaigh.

A Thiarna,
Níl mé ina ndiaidh ort, is ná ceap go bhfuil,
Mo dhá mhac bhreátha a shiúil amach uaim

Maidin Luan Cásca,
A lig fuil a gcroíthe
Ar son chinniúint a dtíre;
Iad beirt gan bhuairt, gan imní,
A muinín i do thrócaire thar cuimse,
A ngean ó chroí ort.
A Thiarna, ní hé nach dtuigim é — grá tíre;
An phian croí millteach — tabhair dom beagán faoisimh,
Le do thoil.

Pádraig Mac Piarais
10 Samhain, 1879—3 Bealtaine, 1916

25

SEAN-PHÁDRAIG Ó CONAIRE

Fonn: *Bhí Bean Uasal.*

Le n-aithris:

Do mhuintir Chonamara,
Is é Sean-Phádraig é
A thom in iomar baiste
Na fichiú haoise
Litríocht na Gaeilge,
A chlúdaigh lena sheaicéad
A colainn bheag lag chreathach,
A chroch leis í faoina ascail,
Is í ag screadach ar a cearta
A bhí ceilte uirthi le fada,
A chaith an oíche fhada
Á bogadh is á mealladh,
Is ag gealladh di saol fada.
Tháinig suan uirthi faoi dhraíocht a chainte
Agus nuair a dhúisigh sí ar maidin,
Bhí Pádraig, a caras Críost, sínte marbh.
Ba de mhuintir Chonamara é
Ba é Sean-Phádraig é.

Le gabháil:

A Phádraig Uí Chonaire, tá cur síos go leor ort
Mar fhear na póite is fear meallta ban
Agus phioc tú an bealach a bhí in aghaidh an chórais,
Chuaigh tú le sóisialacht Kharl Marx.

26

Saoirse is neamhspleáchas a bhí uait i gcónaí
Ó na fórsaí, ar dhóigh leat, a bhí do chur faoi smacht.
Ach ba é an greim docht daingean a bhí ag an ól ort
A bhris do dhóchas — ní raibh aon saoirse a't.

Le taobh dhealbh Shean-Phádraig tráthnóna Domhnaigh
Is grian bhuí an fhómhair ag séalú léi,
Thosnaigh mé ag machnamh ar a shaol óna óige,
Is an tosach brónach a bhí lena réim:
Feicim an gasúirín ag pógadh a dheaide i gcónra
Agus gan é fós ach in aois a sé;
Agus feicim in athuair é, croíbhriste brónach
I ndiaidh a mháthair óg bhocht 'bhí á cur i gcré.

D'fhás an gasúirín i gConamara
Faoi bhun na mBeann i Rosmuc thiar;
Ba sa gceantar seo a chuir sé aithne
Ar dhraíocht na teanga an chéad lá ariamh;
Ba sa gceantar seo a bhí tobar samhlaíochta
A chuid céadta aiste faoi ghleann is sliabh;
Anseo a bhí a thearmann, a theacht chun calaidh,
Is a shaoirse seal beag ó ghalar is pian.

Tharraing mé m'aigne aniar óna shaol a bhí brónach
Go dtí a shaol a bhí sómhar le spórt is scléip;
Faoi loinnir lóchrann ghrianbhuí an fhómhair,
Siar liom an bóithrín go tús an chéid:
Bhí Gaeil na Gaillimhe ina bpríomh-aisteoirí
I ndráma mór faoi litríocht na nGael,
Is ba é Pádraig Ó Conaire an stiúrthóir óg ann
A thug gach cainteoir thrína pháirt bheag fhéin.

Mheall ceol is amhráin an tráthnóna Domhnaigh úd
Go teach ósta an Bhreathnaigh ar an gcoirnéal mé.
Ba shocair a sheas mé ar leac na tairsí ann

Sa gcaoi is nach scaipfinn an drúcht ná an néal —
Ina raibh Nóra Mharcais Bhig 'na suí ar stóilín,
An Búrcach Mór, is Neil ag comhrá léi;
Agus ar ndóigh, bhí Sean-Phádraig is é ag slogadh pórtair,
Is ag dea-chaint le comhluadar a bhí ar fad ina nGaeil.

A Chlanna Uaisle bhóithre na Banban,
Fágaim slán agaibh go ceann achair ghearr.
Seo 'd focla Shean-Phádraig a phrioc arís mé
Ón mbrionglóid iontach inar ghlac mé páirt.
Agus fágaim slán aige go tús an earraigh,
Is cuirfidh an samhradh te a ghalar dubhach ar lár;
Is beidh an t-asal beag dubh feistithe amach agam
Faoina chruife óir agus an treallamh is fearr.

Máire agus Sean-Phádraic

28

MICHEÁL BREATNACH

A Mhicheáil Bhreatnach,
A laoch chaoin chneasta,
De chlann mhac Chois Fharraige,
Is tusa a las an laindéar
A threoraigh na mílte
Thríd an sruth mór neartmhar
A bhí ag bascadh na sinsear
Is á gcoinneáil i ndúchan an aineolais.

A Mhicheáil Bhreatnach,
Nár ghearr a mhair tú.
Is ea, cloisim thú ag casacht
Is tagann loinnir an róis
I do leaca, i m'amharc.
Níorbh shin dreach na sláinte
Ach a mhalairt faraor.
Airím do choiscéim —
Tú ag triall ar an tearmann,
Is an faoiseamh iontach
A thugadh Cnoc na nAlp duit.

Micheál Breatnach,
Gael go smior,
A chuaigh in ísle bhrí
Le grá dod' theanga.
Dúirt tú uair faoi Chonamara,
"Ní bheidh an Ghaeilge i mbaol
Chomh fada is a mhairfeas
Fraoch ar shliabh,
Nó feamainn dhearg ar an gcladach."
Ba shin í do phaidir an fhad is a mhair tú.

SEÁN Ó RIADA

Ag Críost an síol, an barr lag óg,
Ag Críost an chraobh a sheas gaoth is nár chrith,
Ag Críost, as foraois Ghleann na nDeor,
An crann croíchróga calma fir;
Do dhá lámh, a Chríost, ar an halmadóir,
Tré mhuir ár mbróin, treoraigh sinn.

Ag Críost an tonn a lasc cuan le díogras,
A bhain torann fíochmhar as carraig is cloch,
A mhúscail náisiúntacht agus oidhreacht sinsir
I gcroíthe mílte a bhí i bhfad le sruth.

Is mise Éire, is é mo mhac an fear bánghnéitheach
A ghléas le péarlaí mo cholainn nocht,
A shéid a anáil i mo scórnach Ghaelach,
A phrioc mo bhéal ó néal an tosta.
Is mise Éire, is mór í an phian i mbéal mo chléibhe
Nuair a fhéachaim síos air, is é sínte i m'ucht.

Is mise Éire, is é mo mhac Seán Ó Riada i mbláth a óige
A chuir Críocha Fódla lena cheol ar crith,
Ó fhánáin Eachroime go bruacha na Bóinne,
Scalann lóchrann dóchais i mo Róisín Dubh.
Is mise Éire, is mór m'onóir, is mór mo mhórtas
As toradh mo bhroinne.

Ó bhás go críoch — ní críoch do Sheán —
Séideann a anáil ó neamh orainn
De bharr na splaince a d'fhadaigh sé ar leaca Fáil
Faoi íobairt álainn an Aifrinn.
Ní críoch ach athfhás do phréamha a ghrá
A scaipeann faoi bhláth i measc Gael inniu.

MÁIRTÍN Ó CADHAIN

In uaigneas chré na cille anocht,
Tá laoch de scoth na bhfear ina chorp,
A raibh cuislí a chroí ariamh gan stop,
Ag preabadh le grá ó dhoimhneacht uchta,
A chreid nár cheart binn béal ina thost,
A labhair go hard i nglór gan tocht,
A sheas cúlbáire ar pháirc na gceist'
I gcás an náisiúin Ghaelaigh bhoicht.

Le cois Caoláire in uaigneas mara,
Tá sliabh is carraig ag claonadh a mbeanna;
I meáchan a mbróin le chéile teannann,
Cuireann a gcruachás i gcluasa na scamall
A thugann an scéal go doras Pheadair.
— Tá anam uasal ar an mbóithrín casta
— ar chlár a éadain tá a pheacaí greannta:
Grá dá dhúchas, dá thír, dá theanga.

In uaigneas áirneáin tá an "tsraith ar lár",
Tá brat na hoíche scartha ar chnoc is gleann,
Ar bhotháin aoldaite lenar chloígh a pheann
I litríocht úrscéil agus scéalta gearr',
I bpáipéir bhreaca agus i bpáipéir bhána,
Ar shaol an tseanscéil, is an tseanamhráin,
Ar aisling Fhíníneach — ré neamhspleách;
Ré lagbhríoch, murach teas a anála.

Is bocht í an Ghaeltacht i ndiaidh Mháirtín Chadhain,
Is bocht í Éire, gach sráid, gach claí

31

Ar ar sheas sé ag tacaíocht, nó ag tabhairt óráid' uaidh
I bhfocla éifeachtacha ar ghéire claímh;
Lasrach na Saoirse ag lonradh ina aghaidh,
Cinnire ag gríosú a airm ar aghaidh —
Chun seasamh is gan géilleadh orlach dá laghad,
Chun Éire Ghaelach a chur i bhfeidhm.

Máirtín Ó Cadhain

SEÁN ÓG Ó TUAMA

Nach brónach is nach uaigneach an scéal é,
Imeacht Sheáin Óig ón saol seo?
Is bocht atá muid ina dhiaidh anois
Ach is boichte go mórmhór an ceol.
Ba mhór is ba mhaith iad a thréithe,
Ba Ghael é chomh maith is bhí beo.
Chúns mhairfeas ár gcultúr Gaelach,
Mairfidh dá réir, Seán Óg.

Ar an saol seo ba mhór é do shaothar,
Go mairfidh a bhláth go buan;
Go mairfidh meas againn mar Ghaeil
Ar an saibhreas a thug tú dúinn.
Ba dhuine de mhór-uaisle Gael thú,
I gcónaí, ba threoraí thú.
Luach do shaothair, muna bhfuair tú ar an saol seo,
Go bhfaighe tú é sna Flaithis thuas.

Ag an Oireachtas ní fheicfear níos mó thú,
Is beidh an tOireachtas dá réir faoi smúit;
Ná ní thiocfaidh aon am mar an t-am úd
Nuair a bhíodh tú mar mholtóir romhainn.
Spórt a dhéanainn de do chomhairle,
Is tá mo ghlór fós gan smachtú.
Ba mhian liom an uair seo ceol duit go maorga
Ach mo thrua-ghéar, ní féidir liom.

Do réir an scéil atá ráite,
Bíonn ceol sna Flaithis thuas,

33

Ach tá a fhios a'm an áit a bhfuil Seán Óg,
Is éard a bheas ann feasta, Fleá Cheoil.
Is é a iarraim ar Ardrí na nGrást
Ag fágáil an tsaoil seo dhom —
Ceol na bhFlaitheas faoi stiúradh Sheáin Óig,
Páirt bheag a thabhairt ann dom.

MÁIRTÍN BEAG Ó GRÍOFA

Nach uaigneach é an bás nuair a thugann sé an duine ón
  saol?
Ach is measa go mórmhór é nuair a bhíonn an óige ag an té
  a imíonn.
Sin mar a tharla sa gcás seo a labhraimse faoi
Nuair a d'imigh uainn Máirtín is gan é fós ach go hóg ina
  shaol.

Tá ár ndamhsóir ar lár is tá an áit seo faoi smúit is faoi
  cheo
I ndiaidh Mháirtín Beag Ó Gríofa, cén t-iontas má táimid
  faoi bhrón?
Mar chaith muid leis blianta a mhairfeas inár gcuimhne go
  deo;
Is é uaigneas na mblianta úd atá inár gcuimhne san áit a
  mbíodh spórt.

Ba chroíúil é Máirtín, ba cheolmhar spórtúil a shaol,
Is nach iomaí sin áit inar chaith muid leis tamall den saol.
I measc íseal nó uasal bhí ómós le fáil aige ariamh
Mar ba é Máirtín an damhsóir ba é a theastódh arís is arís.

Tiocfaidh taoille i ndiaidh trá mar a thagann an lá i ndiaidh
  an oíche,
Mar an taoille is an trá nach teacht agus imeacht é an saol.
Tiocfaidh damhsóirí fós agus ceoltóirí maithe ar an saol
Ach an áit úd a d'fhág Máirtín sin áit nach líonfar arís.

Tá 'fhios a'inn do réir nádúir nach bhfuil sa saol seo ach
  cuairt;
Tiocfaidh an bás is níl fhios a'inn an mall é nó luath.
Is é a iarraim ar Ardrí na ngrást, an chirt is na cumhachta
Ceol na bhflaitheas a thabhairt do Mháirtín,
Is dhúinne páirt leis nuair a thiocfas ár n-uain.

PÁDRAIG Ó LOIDEÁIN

D'éalaigh sé i nganfhios uainn
Tráthnóna álainn seacach
Í Mí Meán Fómhair seo caite;
Glaodh air chun bealaigh
Go hiothlainn mhéith na bhflaitheas
Díreach is é tar éis
A fhómhar fhéin a chrapadh.

A Pheat, ba tú mo charas Críost,
Is mo chara ó lá mo bhaiste;
D'fhág tú bearna i mo shaol
Mar bhain tú le mo theachsa.
Bhain tú le eachtraí,
Is cúrsaí spraoi a saoil,
Is muid ina ngasúir;
Gach tréith dá bhreátha i bhfear ariamh,
Bhí istigh i do chroíse,
Ag preabadh.

I dTeallach Dé, go raibh do anam glé,
Le MacDara is na manaigh
A d'aimsigh uair an casán caol
Go Loch na Naomh ina theannta;
I n-éineacht le do ghaolta go léir,
Is caraid croí do bhaile
A d'imigh romhat le go mbeidís réidh
Le thú a fháiltiú ag an ngeata...

AN BHFUIL MÉ AG CAINT, NÓ AN BHFUIL MÉ AG CAINT?

In aice na céibhe a chónaigh Sean-Tam,
Ní raibh oiread améin ann fhéin ná ina bhean;
I leataobh a bhéil a déarfadh sé leat,
"An bhfuil mé ag caint nó an bhfuil mé ag caint?"

Aníos ón gcladach a tháinig Tam,
Seanfhear bríomhar ar bheagán smais.
Aon tráthnóna Sathairn dá siúilfeá amach,
Chasfaí Tam ort agus Nean a bhean.

Bean Indiach ag siúl i ndiaidh a fir
A chuirfeadh Nean i gcuimhne dhuit, is í ag siúl i ndiaidh
    Tam.
Bhíodh Tam 'un cinn uirthi, a phíopa ina dhrad,
Is é ag comhrá siar léi idir chuile ghail.

Ní bréag é a inseacht gur dhealraigh Tam
Scal loinnir iontach ó stíl a chainte;
Bhí tú faoi dhraíocht aige, bhí tú ansin i do staic,
Bhí tú i ngreim aige mar bheadh luch i dtrap.

Agus chríochnaigh gach líne uaidh le "an bhfuil mé ag
    caint?"
Dúirt sé arís é le cinntiú ceart
Go raibh do shuim aige, is tú ag éisteacht leat,
Le scéala a shaoil a bhí sé ag ligean a't.

"Is mé i mbláth mo óige fadó," adeir Tam,
"Bhuail mé mo dhóthain ar *Bhlack an' Tan*

A bhí dhá uair chomh mór liom — dheamhan ar fhág mé
    deoir ann —

Anois an bhfuil mé ag caint, nó an bhfuil mé ag caint?"
"Sa gCogadh Cathartha," adeir Tam,
"Bhí mé i gceannas ar chomplacht fear,
Bhí *DeValera* — an gcreidfeá — ina measc,
An bhfuil mé ag caint nó an bhfuil mé ag caint?"

"Níor thug sé ariamh orm ach an *"Boss"* "
Dúirt Tam an líne seo le urraim is meas,
Bhain sé a chaipín dó, is leag í isteach
Lena chroí a bhí ag preabadh faoina gheansaí glas.

"Sea, bhí dúil san ól a'm, agus uair chaill mé an *"Bloc"*,
Bhí mé san ospidéal le mo chás a mheas,
'An raibh deacracht óil a'm'? B'in ceist a chuir as
Do scil na ndochtuirí ar feadh i bhfad."

"Tá tionchar mór ag an ól," adeir Tam,
"Ar staid mo phóca, bíodh sé teann nó lag.
Má tá luach an óil a'm, tá deacracht óil a'm,
'Nois an bhfuil mé ag caint nó an bhfuil mé ag caint?"

Agus tagtha chomh fada leis bhí Nean,
Rud a chuir athrú aisteach ar Tam;
Isteach leis an gcliabhrach a bhí sactha amach,
Ba gheall le balún é is an t-aer imithe as.

"Ag inseacht na mbréag, 'tá tú arís", adeir Nean,
"Ar do Mhama a scréach tú nuair a chonaic tú *Tan*.
Ba dona a bheadh Éirinn dá mbeadh sí ag brath
Ar do éirim — Dia dhá réiteach — b'in rud nach raibh a'd."

PEAT NA MÁISTREÁSA

A oileáin aoibhinn Gharumna,
Nach breá an t-amharc sibh lá breá
Ina luí ansin sa bhfarraige
Ag lonradh faoi ghrian ard;
Árainn ag breathnú isteach oraibh,
Ag brú gaoil oraibh anall,
Is na Beanna amuigh á bhfaire,
Is á gcumhdach ó gach gábh.

A oileáin ársa Gharumna,
Seod é inniu an lá
A bhfuil filí is báird ag tarraingt oraibh
Ó gach áit sna cheithre harda;
Beidh coimhlint anseo eatarthu
Le féachaint cé acu is fearr
Le tréithre Pheat na Máistreása
A inseacht ina dhán.

A Bhaile an Droma, bí i do sheasamh,
Is leatsa an onóir,
Mar is ar do theallach a saolaíodh Peat
In ocht déag naocha dó;
Is thar do thairseach a shiúil sé amach,
A chéad choisméig chreathach óg,
Is is ag do scoil a fuair sé an teagasc
A fuair réidh é don saol mór.

An cuimhneach leat, a Gharumna,
An lá ar shiúil sé amach an bóthar,

39

É ag triall ar mheánscoil sa gCarraig Dhubh,
Is gan é fós ach óg?
Ach ba í an scoil seo cliabhán na lúthchleas
Rud a chuaidh i gcionn ar Pheat go mór;
Agus sa liathróid láimhe a 'spáin sé a neart
Is a chumas mar imreoir.

Go luath tar éis dó scoil a fhágáil
Chuaidh Peat go Meiriceá.
Bhí an caighdeán liathróid láimhe an-ard
Sna Stáit ag an am.
Ach bhí an mianach maith i bhfear Gharumna,
A dhá lámh chomh crua le hail,
Nuair a sheasadh sé go caithréimeach
In aghaidh fir den chéad scoth thall.

Bhuaigh sé Craobh Shinsear Nua Eabhrac
Ó naoi déag naoi déag go fiche trí,
Agus Craobh an Domhain chomh maith leis sin
I bhfiche dó is trí;
Craobh na hÉireann nuair a d'fhill sé ar ais
Abhaile an bhliain dár gcionn;
Is ag Cluichí Tailtean i bhfiche ceathair,
Rug sé leis an barr arís.

Is nárbh ait thú, a Pheait na Máistreása,
Ar an bpáirc mar pheileadóir,
Ar fhoireann peil' na Gaillimhe
Do Nua Eabhrach duit fadó;
Is na blianta a chaith tú i do chaiptín,
Tá daoine ag caint air fós,
Is ar an onóir is an gradam
A bhuaigh Gaillimh faoi do threoir.

Is an lá úd i Nua Eabhrach
Ar imir Gaillimh in aghaidh Chiarraí,
B'éigin duit an pháirc a fhágáil,
Bhí tú sínte gortaithe tinn.
Bhí an cluiche beagnach thart,
Is Ciarraí poinnte 'un cinn,
Nuair a shiúil tú ar ais, Is bháigh tú an pheil,
In eangach chúl Chiarraí.

Agus, a Pheait, tá oileáin Gharumna
Ag tabhairt onóra dhuit arís;
Inniu tá siad ag bronnadh ort
An ghairm ársa "Laoch".
Mar ba mhac de shliocht na bhFiann thú,
Is gaiscíoch thríd is thríd,
Is ba mhór an chliú is an chreidiúint thú
Do do ghaolta is do do thír.

Peait na Máistréasa

41

MÁIRTÍN

Fonn: *"An Spailpín Fánach"*.
(A lig dá ghruaig fás go dtí a ghuaillí agus a bhearr í
oíche áirid airneáin).

Bhí mise oíche i mo shuí ar an teallach,
Oíche gharbh áirneáin;
Bhí siollaí gaoithe ag píobaireacht sna rachtaí
Agus ag damhsa leis an bport, bhí an bháisteach.
Bhí mé díreach le dhul ar mo leaba
Nuair a chroch an doras ar na háirsí
Is shiúil isteach a'm an taibhse, an t-ainsprid;
D'imigh an mothú as mo chorp is mo chnámha.

Ansin a sheas mé, mo chosa i bhfostú
I mbróga a bhí tonna meáchain;
Na braonacha allais ina seasamh ar mo bhaithis
Mar dhrúcht ar sceach sa mBealtaine.
D'éirigh mo chroí, is níor chreid mé m'amharc
Mar amach ar m'aghaidh bhí Máirtín
Is a chloigeann feannta; ní raibh ribe fanta
Dá chúilín dualach fáinneach.

Anois fear breá fiúntach, múinte, cneasta,
De scoth fhear Éireann Máirtín,
Agus nuair a tháinig an faisiún an ghruaig a ligeann fada,
Ní ar chúl an chlaí ab fhearr leis.
Gualainn ar ghualainn le ógfhir an bhaile
Sa gcoimhlint, bhí sé páirteach.
Ach, mo léan, leathbhealaigh, ghéill cuid acu gan achrann
Is chaith siad an iarracht i gcártaí.

42

Ní fear é Máirtín a bhíodh i dtroid ná i gclampar,
Ní raibh an tréith sin ina nádúr.
Ach ba rud eile ar fad é an réabadh is an sceannach
A bhíodh idir é fhéin is a mháthair.
Bhreathnaíodh sí aníos air ó bhonn go baithis,
A súile ar lasadh le grá dhó,
Nó go dtagadh ina hamharc an cúl fada catach
Ansin chailleadh sí a réasún láithreach.

Mar a tharraingíonn na beachain ar chuasnóg meala,
Sin mar a tharraing na mná ar Mháirtín.
Ní raibh aird ó Dhia ar aon "lead" ar an mbaile
Ach iad "bailithe ceart" i ndiaidh Mháirtín.
Mhionnaigh ógbhean dó uair i nGaillimh
Nach raibh aon ní ó neamh ab fhearr léi
Ná siúl cosnocht trína chúilín fada —
Ó, nárbh aisteach an rud le rá é.

Ní raibh samhail Mháirtín ach "Samson" fadó
A chaill a bhrí nuair a bhí a ghruaig gearrtha.
Ansin a sheas sé go cúthail faoin matal
Mar choirpeach ar tugadh breith bháis air.
Bhí a shúile do mo fhaire, is bhí faitíos orm breathnú,
Ná aon tagairt a dhéanamh dá staid nua.
Ní raibh aon chaoi as a'm, thosaigh mé ag scairtíl,
Is ag rachtaíl amach ag gáire.

A MHUIRE, 'MHÁTHAIR

A Mhuire, 'mháthair atá lán de ghrásta,
A réalt gan smál, ó impím ort,
Lig dom maireachtáil faoi do scáth,
Arís go brách ná lig mé uait.

Is peacach bocht mé a Mhuire, 'mháthair,
Atá ag imeacht go fánach le fána an tsrutha.
Tabhair cabhair is neart dom an sruth seo a shárú
Nó beidh mé báite mura mbeidh tú liom.

A Mhuire, 'mháthair, ó déan mé láidir
Le go mbeidh mo phaidir ag tabhairt moladh dhuit.
Is a'tsa atá fhios é gur lag atá mé
A Mhuire, 'mháthair cabhraigh liom.

Ní fiú mé, a Mhuire, go mbeinn ag trácht ort,
A bhláth is breátha glan gan locht.
Is bean thar mhná thú, a Mhuire, 'mháthair,
Lúb níor lig tú ariamh ar lár.

A Mháthair an Aonmhic a rugadh sa stábla,
A d'fhulaing an pháis is an bás ar an gcrois,
Rinne tú an méid sin le mise a shlánadh,
Ach nach beag an aird a thug mé ort.

A Réalt an Dóchais, is a Réalt an Eolais,
Atá lán de ghrá do do chlann uilig,
Déan trócaire orainne, a Mhuire, 'mháthair,
Is ar uair ár mbáis ná lig muid uait.

OÍCHE NOLLAG MHÓR

Curfá:
Bhíodh San Nioclás ar ancaire
I ngleoiteog ar an ród,
É ag faire i nganfhios chuile theach
Inar chónaigh an t-aos óg;
Chomh luath is a théadh na coinnle as,
Chrochadh sé lán seoil,
Is thagadh go ciúin an caladh isteach,
Oíche Nollag Mhór.

Bhíodh San Nioclás ar chapall breac
Ar a raibh cheithre chrú óir;
Srian ar dhath an airgid
As ar chroch an mála mór
Ina raibh bábógaí do chailíní,
Is caiple maide do leaids óga;
Ó ba fial agus ba flaithiúil é,
Oíche Nollag Mhór.

Curfá

Ní fhaca mise San Nioclás ariamh,
Ná ní fhaca éinne romham;
Ní fhaca mé é ach d'airigh mé é
I gclúid an tseomra mhóir.
Cé gur fear mór trom a bhí i San Nioclás,
Níor rinne sé aon ghleo
Ag éalú dó ó theach go teach,
Oíche Nollag Mhór.

Curfá

Chaill mé suim i San Nioclás
I naoi déag ceathracha dó
Mar i mo stoca chuir sé fata —
B'in dearmad a deir Mamó;
Bhoil ghlaoigh mé chuile ainm air,
Ó phleidhce go "tóin mhór";
Go deimhin 'sé a fuair garbh é,
Oíche Nollag Mhór.

Curfá

Ba cheart do San Nioclás bheith sean anois,
Bhí sé sean nuair a bhí mé óg;
Faigheann a intinn meascaithe amanta,
Is é ag roinnt an mhála mhóir,
Is má fhágann sé gan tada thú,
Ná tóg air é, bí leis cóir,
Is cuimhneoidh sé ar do charthannacht
Chuile Nollaig le do ló.

Curfá

AN BHFEICFIDH MÉ NÍOS MÓ THÚ, STÓIRÍN?

Tráthnóna, is mise go huaigneach,
Is an saol do mo chloí is do mo chrá,
Labhair tú liomsa, a stóirín,
Is bhí aoibhneas arís a'm le fáil.

Curfá:
An bhfeicfidh mé níos mó thú, a stóirín,
Nó do ghlór ciúin an gcloisfidh mé go brách?
Tabhair ar ais arís an tráthnóna úd
Is beidh aoibhneas arís a'm le fáil.

Shiúil tú go ciúin liom, a stóirín,
Is an spéir gan aon smúit os ár gcionn;
Dúirt tú liom "ná bíodh brón ort",
Ach ní bhíonn brón san áit a mbíonn tusa ann.

Curfá

Cén fáth gur imigh an uair úd?
Cén fáth, a stóirín, cén fáth?
Is mo bhrón agus m'uaigneas, a stóirín,
An uair úd nach maireann go brách.

Curfá

AN CAILÍN ÁLAINN

Tá cailín álainn a dtug mé grá dhi;
Is í is deise, is áille ná bláth is ná rós.
Gan í ar láimh liom is cloíte atá mé;
A chailín álainn, is tú fáth mo bhróin.

Curfá:
A chailín álainn, a dtug mé grá dhuit
Bí ar láimh liom a mhíle stór,
Is abair liomsa gur tú mo ghrá geal;
Beidh orm áthas in áit an bhróin.

Nuair a éirím amach go huaigneach,
Siúd í an uair is mó mo bhrón.
Bím ag smaoineamh ar an gcailín uasal
Atá i bhfad uaimse, mo chreach is mo bhrón.

Curfá

Dá dtiocfá liomsa, a chailín álainn,
Arís go brách, ní bheadh orm brón.
Sheinnfinn ceol dhuit mar cheol na cláirsí
Nó ceol binn smóilín sa drúcht gheal cheo.

Curfá

SMAOINTE

I smaointe, a stór, an mbeidh tú liom
Is an samhradh aríst faoi bhláth
Nuair a thagann an drúcht ón spéir gan smúit
Is na bláthanna is cumhra ag fás?

Curfá:
I smaointe beidh tú i gcónaí liom,
Níl ach smaointe anois le fáil.
Is é mo bhrón is mo chumha gur imigh an uair
Nach bhfuil níos mó le fáil.

Nuair a shúilim liom cois cuain go ciúin
Ag tóraíocht fuascailte ar mo chás,
Cloisim aríst do ghlór mar bhíodh
Nuair a labhair tú liom ar ghrá.

Curfá

Uaigneas, tuirse, brón is buairt
A thagann i ndiaidh grá;
Dá leigheasfadh smaointe buarthaí an tsaoil,
Ní bheadh a leithéid ann.

Curfá

Tiocfaidh aríst bláth ar chraobh
Ag teacht leis an lá breá —
Ach mo bhrón an uair úd nach dtiocfaidh níos mó,
Mar a thagann bláth ar chrann.

Curfá

A DHUINE GAN AIRD

Nach trua ghéar nach bhféadaimse amárach
Is d'éalóinn ó thrioblóidí an tsaoil;
Níl sa saol seo lá i ndiaidh lae anois
Ach trioblóid, brón agus pian.
Ní hé an saol atá ciontach, ó tá a fhios a'm —
Tá an saol seo i gcónaí mar bhí;
Is muide na daoine atá ciontach sa gcás seo,
Atá ag fágáil an scrios ina ndiaidh.

Cén mhaith do dhuine — is agamsa atá fhios é —
Cén mhaith dhó saibhreas an tsaoil?
Mura bhfuil aoibhneas, suaimhneas is grá a't,
Ní fiú bheith ag trácht ar an saol.
Cé le haghaidh a bhfuair tú do shláinte,
Nó an dtuigeann tú i gceart céard é pian?
An dtuigeann tú uaigneas is áthas,
An raibh am a't le smaoineamh ariamh?

A dhuine, dúisigh amárach
Is tosaigh an lá breá arís.
Ná bíodh driotháir ag marú a dhriothár,
Ná bíodh éad ná gráin i do chroí.
A dhuine, más duine gan aird thú,
Níl se ró-mhall a't tosú arís;
Tosaigh anois, inniu, ní amárach,
Mar b'fhéidir amárach nach dtiocfadh sé a choíche!

ROIMH AN STOIRM

Nuair a ionsaíonn stoirm crann,
Is iad na géaga laga a thiteann;
Is iad na géaga lofa a bhriseann
In éadan stoirme teann.

Nuair a ionsaíonn gaoth i bhfeirg
Ár saol is déanann corrach,
Is iad na poinntí dóchais is laige
A ghéilleann faoin meáchan.

Go laethúil scrúdaigh do fhórsaí cosanta,
Marcáil spotaí ar a bhfuil laige ag 'spáint,
Cuir cóir leighis orthu sula dtosaíonn
An ghaoth ag osnaíl le pian an áir.

Déan anois é ar an bpoinnte
Amárach, b'fhéidir, beidhir ró-mhall,
Mar is iad na géaga laga a bhriseann
Nuair a ionsaíonn stoirm crann.

51

MÍORÚILT

Chroch sióg bheag a slaitín
Os cionn paiste talún
Taobh istigh den gheata
Arú aréir;
Agus ar maidin,
Bhí blátha beaga chomh geal le heala
Tar éis teacht aníos thrí thalamh seaca,
Scaipthe thart faoi bhun an bhalla,
Crochann siad a gcloigne mar a bheadh orthu eagla
Roimh ghaotha géara atá mar lann ag gearradh
Thrí chrainn gan ghéag;
Ansin a fhanann siad ag faire,
Ag breathnú thart
Ar nós strainséirí ag an ngeata —
"'Spáin sibh fhéin, a phlúiríní sneachta,
Tá fáilte romhaibh faoi spéartha glasa" —
Tharla an t-iontas seo anuraidh cheana...
Chomh luath is a thagann sibh — is míorúilt é.

SNEACHTA

An bhfuil radharc chomh deas leis,
Chomh geanmnaí glan leis
An mbrat mór sneachta atá caite inniu
Ar thithe, ar thalamh, ar bháid sa gcaladh,
Ar bhruach ciúin ceansa na habhann le sruth?
Aoibhneas neamhdha scartha ar cheantar
Mar bhráillín lín a bheadh á tuaradh amuigh,
Nó olann chailceach ina lomraí fada
A gcuirfeadh deallradh a glaineachta do radharc ar crith.

Ar leac na táirsí a fuair mé caite í,
Lán mo ghlaice de spideog bheag,
A brollach dearg, a súile faiteacha, is í ag creathadh i
    gcleití fliucha.
Shlíoc mé a caipín is a spreangaidí fada
A bhí ag baint sonas teasa as clár mo bhoise;
A béilín mantach nach é a bhí santach
Sa gcrústa aráin a thom mé i mbainne bog!

Ba dhrogallach a scar sí le tearmann mo thíse
An mhaidin earraigh,
Ach tháinig beocht inti de rite reaite,
Agus bhí práinn aisteach ag baint lena haistir;
Lean sí amach mé go dtí an táirseach —
Ní raibh a samhail ach gasúirín a dhearmad pé
teachtaireacht
A bhí uirthi a dhéanamh nuair a d'fhag sí an baile —
Chaill mé amharc uirthi sa mbrat mór cailceach
A chlúdaigh bia is deoch an éinín bhoicht.

FUATH

An fuath seo a bhíonn ag daoine
Do rudaí nó do dhaoine,
Cúis gháire dom nuair a smaoiním
Ar na nithe a spreagann daoine,
A athraíonn a meon is a n-intinn,
A chuireann gangaid ina gcroíthe,
A chuireann iad ó chodladh oíche —
Dream coilgneach na malaí gruama.

Ó thús, ó rugadh Críosta,
Níor rugadh ar thalamh naofa
Éinne a fuair nóiméad saoirse
Ó fhuath faoi nithe saolta
Ag tosú leis na Rithe,
Cinnirí stáit gan trua a dhaor
Páistí gealgháireacha i gcampaí coimhthíoch
Ach is mairg a bhíos go holc.

Fuath ar m'aigne, breathnaím im' thimpeall,
Na mílte fuath a thagann im' chuimhne;
Fuath na n-uaisle do na hísle,
Fuath na hóige don tseanaois,
Fuath na bhfilí — is é Raiftearaí atá ar m'intinn —
Ar chlár na haithrí nochtaigh sé a smaointe —
Feiceann fuath a lán.

MIAN

Ba mhian liomsa a bheith i mo scríbhneoir leabhar
Céad míle focal den scoth
Gan chabhair ó léirmheastóirí
Nó a macasamhail;
Ábhar na n-irisí, dréachta dlúth mo rogha
Faoi thíorántacht chiníocha ar fud an domhain,
Nó oidhreacht ár gcine féin
Tagann im' mheabhair,
Scéalaíocht, fiannaíocht, cultúr chomh doimhin
Le draíocht na sí Oíche Shamhna.

Ba mhian liomsa a bheith i mo stiúrthóir ceoil,
Ceol fhoireann éadrom Gaelach ar ndóigh,
Ceol binn traidisiúnta a bhainfeadh deoir
Ó shúile an té dhá gcloisfeadh Dónal Óg,
Seachrán Uí Chearrbhaill nó an Chaoin Róis,
Nó port ríl meidhreach ar nós Iníon Mhic Leoid
A chuirfeadh luas, is neart, is a d'ardódh ceo
Ó chroíthe cráite le draíocht an cheoil.

Ba mhian liomsa a bheith i mo shreothaí bóthair
Agus m'aghaidh a thabhairt ar an mbealach mór
Gan i mo chuideachta ach an lon is an smól
A bheadh ag cantain dom agus mé ag cantain dóibh;
Tré bhánta féarmhara is coillte cnó,
Cosnocht, giobalach, threabhfainn romham
Gan aon cheanncúrsa ach deireadh an ló
Faoi dhíon spéir-réaltach shínfinn ar só.

TRÁTHNÓNA LAE SAMHRAIDH

Fonn: *Jimmy Mo Mhíle Stór*

Tráthnóna lae samhraidh cois abhann liom féin i mo shuí,
Mo smaointe ag sleamhnú mar chleite le sruth mo shaoil,
Ag treorú síos m'amharc ar thuláinín féarmhar mín
Ar ar shín mé ag samhlaíocht is mé i m'óige ó imní saor.

Critheaglach a sheas mé agus rinne mo bhealach síos
Thrí chosáinín casta le driseacha is buachaláin bhuí;
Gheit mo chroí is m'anam nuair a dhearc mé an paiste arís
Nach bhfaca mé cheana le tarraingt ar leathchéad bliain.

Sheas mé in athuair ag baint taithnimh as cumhacht an
    fhóid
Ag faire na mbeach ag cruinniú na meala dóibh;
Na héin ag síorchantain le gaisce as binneas a gceoil
Is an spéir mar bhratach anuas scartha ar chraobha cnó.

Mar sin a d'fhan mé mín marbh gan chor, gan ghlór,
Ar nós duine faoi gheasa ag slata na sí fadó;
Faoi mhearbhall gan aithne mar fhear a bheadh tugtha don
    ól
Nó mar churach ar ancaire ag bogadh le sruth gan treoir.

Is ar an tuláinín féarmhar seo a shamhlaigh mé brón is
    greann,
Mheabhraigh mé teagasc an Bhíobla aniar ó Ádhamh,
Shamhlaigh mé gníomhartha is briathra a d'imigh le fán
Mar a d'imigh an taoille le bealach a dhéanamh don trá.

Mar cheirtlín órdhealrach bhí an ghrian ag dul faoi sa
    ghleann,
D'fhág mé mo bheannacht ag an tuláinín féir faoi bhláth,
Ag aoibhneas is suaimhneas a mhéadaigh an osna i mo lár,
Is d'éalaigh mé i ngan fhios as sonas na habhann go brách.

56

MÉ FHÉIN IS TÚ FHÉIN

Ar thrioblóidí an tsaoil, déanfaimíd dearmad ar feadh
    tamaill,
Mé fhéin is tú fhéin.
Aoibhneas is áthas, na smaointe a bheas againn,
Mé fhéin is tú fhéin.

Curfá:
Leatsa agus liomsa, tá aoibhneas ag fanacht,
Mé fhéin is tú fhéin.
Aoibhneas is áthas na smaointe a bheas againn,
Mé fhéin is tú fhéin.

Tá an lá breá ag teacht, is tabharfaidh sé dúinn taitneamh,
Mé fhéin is tú fhéin.
Is beidh nádúr an tsaoil faoi bhláth romhainn ag fanacht,
Mé fhéin is tú fhéin.

Curfá

Ó, ceol an smóilín dúinne sna gleannta,
Mé fhéin is tú fhéin.
Is piocfaidh muid rós agus bláth sna gleannta,
Mé fhéin is tú fhéin.

Curfá

Siúlfaidh muid go ciúin síos cois an chladaigh,
Mé fhéin is tú fhéin.
Is ar dhul faoi na gréine, beidh muid ag faire,
Mé fhéin is tú fhéin.

Curfá

Ó, leatsa agus liomsa, tá aoibhneas ag fanacht,
Mé fhéin is tú fhéin.
Ach dúinne, mo bhrón, an t-aoibhneas nach mairfidh,
Mé fhéin is tú fhéin.

ACHAINÍ CHUN DÉ Ó ALCÓLACH

A Dhia dhil — is mise Seán Beag.
Ní maith liom a bheith ag cur trioblóide ort,
Go deimhin ní raibh sé de mhisneach agam go dtí anocht
cabhair a iarraidh ort.
Is fada mé cloíte i gcroí is i gcorp,
Is fada mé sínte lagbhríoch faoi ualach mo choir,
In aimhréidh, i ngreim, i snaidhm atá ceangailte docht,
gan faoiseamh ón bpian mar, a Dhia, tá mé tugtha don
deoch.
A Dhia dhil — an cuimhin leat an gasúirín bán,
a bhronn tú ar Bhríd is ar Sheán
leathchéad bliain ó shoin — Oíche fhéile San Seáin
sa teachín sin thíos sa ngleann?
'Sea is mise an gasúirín a tháinig chun bláth,
a fáisceadh as cultúr chomh breá
agus chomh fíor le fíoruisce an tsrutháin,
a múnlaíodh le gnaíúlacht agus cineáltas croí a thaispeáint.
A Dhia dhil — cá ndeachaigh mé amú?
Sciorr mé runga i ndiaidh runga de dhréimire cúng
síos, síos i mbrocamas ceomhar dlúth
áit a raibh faoiseamh seal beag
ón amharc ar mo chéadghrá, mo spéirbhean, mo rún,
is í ag imeacht go héag uaim le fear eile
leathbhliain tar éis pósta dúinn.
'Sea, a Dhia,
ní ligfidh mé as cuimhne go brách feadóg na traenach
a d'fhógair go raibh sé in am
scaoileadh le Máire a bhí faoi dhraíocht
ag an bhfear lena taobh ar an suíochán,
An tEalaíontóir, a mheall í chun suí dó
le go mbreacfadh sé a dreach álainn aoibhinn ar chanbhás.
An inniu? An inné? Nó cén t-achar
ó d'inis sí féin dom a cás? A grá do fhear eile,
a grá mórchúiseach, is dá gceilfinn a saoirse di

59

go bhféadfadh go bhfaigheadh sí bás.
Ó, a Dhia dhil — chaill mé mo neart, mo chiall.
Chuaigh mé i bhfolach i bpiontaí leanna,
is i mbuidéil órga uisce beatha, a mhaolaigh an phian.
Nuair a shíl mé éirí astu,
bhí an bealach amach astu imithe ó amharc orm — bhí mé
i ngreim.
A Dhia dhil — shéan mé thusa;
Ní raibh mé ag do Aifreann
le tarraingt ar dhá bhliain déag.
Aréir, 'sea ba mhaith dhom agam thú aréir,
Aréir is mé ag deireadh mo phreibe.
Ó, a Dhia, nach mór an maslú dhuit
mo chuid giobaileachaí bréan,
na focla liopastacha atá ag teacht ó mo bhéal,
mo anáil cháirseánach ag salú cumhracht do aeir.
A Dhia dhil — scread mé ort
ag doras do eaglaise os ard
mé a ligean chun farraige sa mbád
a bhí ag cruinniú paisinéirí — don Chaiptín Bás.
Níor tháinig aon fhreagra uait ach tháinig ciúineas sámh,
ciúineas cuideachtúil i mo staid cruacháis.
Tháinig fionnuartas ag brúchtaíl aníos as tobar grást
rud a mhaolaigh mo shuim i mbád an bháis,
bád a d'imigh ó léargas orm, b'fhéidir ar fán.
A Dhia dhil — glaoigh orm éirí
mar a ghlaoigh tú ar Lazarus tráth.
Lig dom taca a bhaint as do ghualainn theann.
Is casta caol é an cosán ar ais,
ar ais thar gheataí an tairt, suas an t-ard.
le do chúnamhsa siúlfaidh mé thar an duibheagán,
le do chúnamhsa bainfaidh mé amach an t-ard
fiú má bhíonn orm lámhacán.
Sa teachín beag thíos sa ngleann beidh mé slán.
'Sea, cois monabhar séimh an tsrutháin, beidh mé slán.

DÉ LUAIN

Inniu Dé Luain, cén fáth Dé Luain
I ndiaidh an Domhnaigh agus an tSathairn?
An Luan an chéad lá den tseachtain romhainn,
Lá fuar dúr, lá gan phearsantacht.

Ag siúl na sráide dhom Dé Luain,
Na siopaí dúnta ar fud na cathrach,
I súile codlatach, feicim gruaim,
I ngnúis gach n-aon dá siúlann tharam.

I nuachtáin an lae, tá tagairt déanta
Do chúrsaí i gcéin, agus sa bhaile.
Cúrsaí spóirt, stailce is timpiste,
Cúrsaí airgid agus cúrsaí faisiúin.

Tar éis na n-alt, faoi bhreith is bás,
D'fhill mé an páipéar agus d'iontaigh abhaile;
Rinneas suas m'aigne go ndéanfainn dán
Don lá seo is ársa i gcúrsaí staire.

I naoi déag sé déag ar Luan Cásca
A lasadh tine shaoirse Éireann:
Thóg scata Óglach gunna ar láimh,
Is chuir tús go brách le náisiún Gaelach.

Ina súile siúd, bhí tine fhíochmhar,
Bhí a gcroíthe thar maoil le teas tírghrá:
Tar éis na seachtaine, a bpearsana spíonta,
Ghlaoigh an Piarsach tabhairt suas don namhaid.

61

Tar éis an achrainn, le baint bhí díoltas,
Bhí an namhaid ar díogras corraithe crua;
An feall a déanadh le fuil a íocadh,
Tré chuislí ritheann ón Luan anuas.

Inniu Dé Luain, níl gá le gruaim,
Tá an spéir gan smúit os cionn cnoc is gleann;
— Éist, le ceiliúr éan is méileach uan,
Nó torann tonn ar imeall trá.

CEARTA NA mBAN

Ó muise ar chuala tú trácht ar chearta na mban?
Ó caithfidh mé 'rá nach dtuigim é i gceart;
Clampar ag mná, ó sin a bhfuil ann,
Is ní bheidh siad sásta go bhfaighe siad a gceart.

Ó ní bheidh siad sásta go bhfaighe siad a gceart,
Ó ní bheidh dá bhfaighdís an saol seo ar fad;
Ná bac leis na mná, ná bídís do do chrá,
Bíonn clampar le fáil i gcónaí ina measc.

Ó ná bídís á rá nach bhfuil acu a gceart,
Tá siad páirteach sa chuile áit chomh maith leis an bhfear;
Mo chomhairle do na mná ná fanacht mar atá,
Ó ní éasca, tá mé 'rá leat a bheith i do bhean is i d'fhear.

Ó tá ómós le fáil ag bean thar fhear,
I dteach ósta, nó in aon áit dá dtéann siad isteach;
Dá n-iompóidís an áit ó bhun go barr,
An tsráid, go brách, ní bhfaighdís amach.

Muise an raibh tusa i ngrá ariamh le bean?
Ó bhíos-sa, mo chrá ghéar, le cailín beag deas;
Ó dúirt agus gheall sí nach scarfadh sí go brách liom,
Ach céad faraor chráite níor choinnigh sí a geall.

Ó ná lig do rún choíche le bean
Mar ní rún é níos mó, ná uaidh sin amach;
Ná bac lena ngrá, ná bíodh sé do do chrá,
Is iomaí croí láidir a d'fhág siad lag.

63

Ó cuirfidh muid na mná ag déanamh obair na bhfear,
Tuigfidh siad an t-am sin céard é a gceart;
Seolfaidh muid a bhfuil acu ann amach sa spás,
Sin í an áit nach dtiocfaidh siad as.

Ach fiú amháin an spás ní choinneodh an bhean,
Tá sé ráite faoin spás nach bhfuil sé éasca a theacht as;
Is éard a bheidís ag rá nach bhfuil a ndóthain spáis ann,
Ó ní fheicfeá dhá lá nó go mbeidís ar ais.

Ó meastú na mná seo dá ngabhfadh siad suas ar neamh —
Caithfidh siad athrú thar mar atá siad nó ní ligfear iad
    isteach;
Ó síocháin is grá, sin é atá ann,
Ach sin rud nach mbeidh ann, má fhaigheann siad isteach.

Ó tá na mná is uaisle ar fad ar Neamh,
Ní amháin go bhfuil siad uasal ach umhal chomh maith;
Ach sin na mná, mná thar mhná,
Tá síocháin is grá i gcónaí ina measc.

Ós ag caint ar na mná é seo scéal maith,
Faoi bhean a cheannaigh carr, *volkswagen* a bhí ann;
Rud nár thuig sí faoin gcarr, nó go raibh sí ró-mhall,
Gur i ndeireadh an *volkswagen* a bhíonns an *t-engine* ar
    fad.

Ó thosaigh sí ag béicigh, is ní mba dheas é a caint,
A leithéid de fhocla ní chloisfeá ag fear;
"Tá an *t-engine*" adeir sí, "goidte as mo charr, tá mé
    scriosta go brách,
Sin rud nach dtarlódh dá mbeadh againn a gceart."

Bhí sé sin greannmhar, bhí tuilleadh le teacht,
Mar ní fada go dtáinig an darna bean;

Bhí sí ag tiomáint cairr, is ní chreidfeá go brách,
An bhfuil gá dom é a rá, *volkswagen* a bhí ann.

Ó níl fadhb dá mhéid é nach bhfuil a réiteach ag bean,
Bhí réiteach an scéil seo ag an darna bean;
"Tá dhá *engine*", adeir sí, "i mo charr, is ní theastaíonn ach
    ceann,
Ó nach ortsa," adeir sí, "bhí an t-ádh go dtáinig mé thart."

Ó chruthaigh Dia an domhan, is ansin lig sé a scíth,
Chruthaigh Dia an fear, is aríst lig sé a scíth;
Ach chruthaigh Dia an bhean is chuir sé ualach orainn,
Ní raibh scíth ag Dia ná ag duine ó shoin.

IOMÁNAITHE NA GAILLIMHE I dTÍR AN FHIA

(Do iománaithe na Gaillimhe, i gcuimhne na hoíche ar thug siad Corn Mhic Cárthaigh go Tír an Fhia i nDeireadh Fómhair 1980)

Tá féasta is fleá á chur ar fáil
I gCúirt an tSrutháin Bhuí;
Seo pálás breá a bhí i bhfad le fán
Is atá anocht á oscailt arís;
Le tinte chnámh ar chuaillí arda
Le fáiltiú roimh an *team*
A bhfuil a gcliú is a gcáil
I bhfad is i ngearr
Ón lá ar rug siad leo an chraobh.

Is í ag teacht anuas ó bharr an aird,
A casadh dhúinn Peigín
Ina bratach breá, marún is bán,
Is gan í ag breathnú lá dá haois:
Bhí a croí as áit le teann lúcháir
Go raibh a clann is a cairde gaoil
Ag tabhairt Corn Liam Mhic Cárthaigh
Faoi lánghradam go Tír an Fhia.

Is, a iománaithe na Gaillimhe,
An raibh cluiche ariamh níb' fhearr
Ná an choimhlint spórtúil, fhearúil,
Idir laochra na gcamán?
An taispeántas le dathúlacht
A chuir sibh dhúinn ar fáil,

66

Beidh i gcuimhne cinn gach Gaillmheach
Go ceann fada fada an lá.

Ní raibh cuisle croí in óg ná in aois
I dTír an Fhia ná sa Trá Bháin
Nár phreab duit, a Joe Connolly,
Is tú ag glacadh an Chupáin;
'Spáin tú gur tú an cinnire,
Is ní ar pháirc na himeartha amháin,
Nuair a bhronn tú stádas speisialta
Ar Ghaeilge do chliabháin.

Is nár thú, a Mhaidhc Conneely,
Is tú a bhí míleatach sa ngól:
Go síorraí mairfidh cuimhne
Ar do ghlaic nár chlis liathróid;
Is ba gheall le draíocht an "team work"
Idir Lane is Bernie Ford
A chriog muinín na Muimhneach
As aon smaoineadh an lá a bheith leo.

Agus duitse, a John Connolly,
Téann onóir agus glóir;
Cúis mórtais do gach Gaillmheach
Do chumas mar imreoir.
Is tusa a mhúnlaigh an cluiche seo
A ghráigh tú ó bhí tú óg,
Is beidh do scil sa gcamán brandáilte
I do ainmse go deo.

GAILLIMH ABÚ!

(do iománaithe 1980)

Bhíodh daoine liom á rá
Nach dtiocfadh arís an lá
Go mbeadh McCarthy 'teacht go Gaillimh
I ndeireadh an lae.
Ach moladh le Rí na nGrást,
Ní mar sin anois atá;
Tháinig McCarthy ar ais go Gaillimh
I ndeireadh an lae.

Curfá:
Ardaíodh muid a nglórtha anois le chéile,
Moladh muid os ard ár ngaiscígh fhéin,
Mar thug siad leo an lá, an lá a mhairfeas linn go brách.
'Bheith i do Ghaillimheach an lá úd, ba shaibhreas é.

Seo é cinnte an lá
A mhairfeas linn go brách;
Chúns bheirfear ar chamán,
Labhrófar faoi.
A leithéid seo de lá
Ní minic é le fáil;
Go Gaillimh, is fada é
Ag tíocht.

Curfá

Nár laga Dia an lámh
A rug ar an gcamán
A chuir Gaillimh ar ais ar barr
Os cóir an tsaoil.

Taispeántas chomh breá,
Níos fearr ní fhéadfá a fháil;
An uair seo ach an bua,
Ní ghlacfaidís.

Bheadh an lá seo fós ní b'fhearr
Dá mba iad Cill Chainnigh a bheadh ann;
Sin nó Loch Garman,
Ba chuma faoi.
Cad mar gheall ar Chorcaigh,
Nár dheas an rud 'bheith á gcloí?
Ach is bua é i gcónaí
I ndeireadh an lae.

Curfá

Tá Conamara d'oíche is lá
Faoi lasair thinte chnámh;
Dá dtuigfeadh tú a gcás,
Cén t-iontas é?
Ní go minic a thagann lá
Go mbíonn caiptín as le fáil;
Clann Uí Chonghaile is iad go cinnte
Ár muintir fhéin.

Curfá

A Ghaillimh, is mór do cháil,
Is níl aon chall domsa 'bheith á rá;
Tá do bhrat anois in airde
Os cóir an tsaoil.
Ní inniu ná inné, a Ghaillimh,
A thuill tú é;
Nach deas na cuimhní cinn
Atá a'inn ina dhiaidh.

AN BHFUIL TICÉAD A'T ?

(don chluiche Ceannais Iománá 1981)

Curfá:
Tá chuile dhuine bailithe ceart,
Níl focal cainte ag óg ná sean,
Ach "an bhfuil ticéad a't."
A' bhfuil anois *by dad*,
Nach deas a d'éirigh ceann leat."
Ach ní mhairfidh do aoibhneas ná do shuaimhneas i bhfad
Mar sa taobh seo tíre tá sciob is sceab,
Is má chastar do thicéad ar an gcrúb mhícheart,
Tá *Hill Sixteen* i ndán duit.

A iománaithe na Gaillimhe,
Tá gradam tuillte cheana agaibh
As taispeántas gach fear agaibh,
Sa leathcheannas, ní raibh a sárú;
Ó beidh muid libh ag tabhairt tacaíocht' dhaoibh,
Marún is bán in áirde dhaoibh,
Is na gártha áthais le teann bróid asaibh,
I bPáirc an Chrócaigh an lá sin.

Curfá

Tá Conamara is Gaillimh ar fad,
Ag caint ar Mhaidhcil — an mbeidh sé ann nó as?
Ag caint ar Joe, ar ndóigh, is ar John,
'Bheas i measc na laochra an lá sin.
Beidh McInerney is Iggy Clarke,

Noel Lane is Sylvie Beag Linnane,
Ar a míle díogras ag faire a seans
Ar ghólphostaí Uibh bhFáillí.

Curfá

Beidh croí gach Gaillmheach thar lear
I San Francisco nó i New York,
Dírithe anall i dtreo Chroke Park,
Is an chúig fhear déag an lá sin...
Agus beidh Gaillmhigh le croíthe laga
Ag cur teachtaireachtaí suas go neamh,
An cupán breá sin a fhágáil a'ainn
Go dtí b'fhéidir bliain ón lá seo.

Curfá

"SCAOIL AMACH AN BOBAILÍN"

"Eabh", adeir an bobailín nuair a thit sé síos sa tobairín,
Níor chuala muid ón am sin mórán faoi;
Nach aisteach an rud le rá é,
Murach é an t-am seo,
Ní bheadh Mc Carthy ar ais i nGaillimh againn aríst.
"Scaoil amach mé" adeir an bobailín,
Is é ar chúl a chinn sa tobairín,
Nuair a chuala sé Gaillimh a bheith i ndroch-chaoi.
Bhí béiciúch, gleo is sáraíocht
I bPáirc an Chrócaigh an lá úd
Nuair a scaoileadar amach an bobailín.

Bhí Cill Chainnigh is Gaillimh
Á choimhlint le chéile
Is gan é éasca ag aon taobh a dhul chun cinn.
Ach bhí leads as Conamara ann
A d'athraigh ar fad an scéal,
Is beidh an chuid eile le léamh a't fhéin i *history.*
Mar ghaoithe ag dul thrí luachair
A thosaigh Gaillimh ag gluaiseacht,
Is Cill Chainnigh fágtha ag faire ar iontais
Ní thuigeann siad fós é,
Ní thuigfidh siad go deo é,
Ach dá mbeadh acu léamh na Gaeilge—thuigfidís.

Ó ná habraíodh liomsa aon duine
Nach binn í an teanga Ghaeilge,
Is, mo ghoirm fhéin, an té a labhraíonn í.
Cén mhaith a bheadh sa mbobailín dá "scaoilfí amach" i
    mBéarla é?

Ní bheadh a chliú is a cháil
Mar atá ar fud an tsaoil.
Murach gur iontach an rud é an bobailín,
Ní bheadh amhráin á gcumadh faoi,
Ná na gardaí ag iarraidh é a sháinneadh
Ag teacht ina dhiaidh.
Tá Conamara d'oíche is d'ló anois
Faoi lasair thinte cnámh
Is go síoraí ag ól sláinte an bhobailín.

BEITHÍGH JOE JOE

An bhfaca fear gan hata beithígh Joe Joe?
Siad a chrá mé is a bhris mo chroí
Ó thug an mí-ádh iad thart san áit seo
Tá mise fágtha ar bheagán ciall.
Chonaic mise mo chreach is mo chrá iad
Is níl dhá bharr a'm ach cnámha tinn,
I gcónaí ag faire orthu nach bocht an cás é
A bheith ar garda de ló is d'oíche.

Maidin Domhnaigh is mé mall ag dúiseacht,
Mar is ar maidin is mó mo phian,
D'airigh mé na beithígh seo is iad ag búireach
Is nár shíl mé ar dtús gurbh é an chaoi a raibh mé ag
        brionglóidí.
Ní deas í an eascainí maidin Domhnaigh
Ach ní i nGaeilge a dúirt mé í
Ach tá mise dhá rá libh dá mbeinnse láidir
Ag muintir na háite bheadh neart *free beef*.

Threabhadar garrantaí, cnoic is gleannta
Is nach iomaí sin bearna a d'fhága siad ina ndiaidh.
Níl claí ná sconsa dhá mhéid é a láidreacht
Nár gheall le *hymac* iad ag dul tríd!
Nach mór i gceist agaibh caiple rása,
Nach mór é a gcáil ar fud an tsaoil?
Dá bhfeicfeá na beithígh seo tá mise a rá leat
Ar chapall rása ní bhreathnófá aríst.

Téann daoine i gcostais thart san áit seo
Ag réiteach sráideanna le JCBs.

74

Dá bhfaigheadh na beithígh seo leathuair amháin air
Dhéanfaidís *job* dó gan punt ná pingin.
Baile álainn a bhí a'inn san áit seo
Bhí chuile chineál crann ann dhár fhás ariamh.
Ach cén mhaith bheith ag caint anois tá na crainnte
    feannta,
Fiú amháin na rútaí canglaíodh iad.

Bhí maide adhmaid a'm de scoth adhmaid,
B'é an cara ab fhearr é a bhí a'm ariamh,
Bhí sé liomsa i ndiaidh beithígh Joe Joe
Ach rinne mé smúdar dhó ar a ndroim.
Fear é Joe Joe a bhfuil aithne mhór air,
D'fhág sé na céadta go domhain i gcill.
Tabhair leat mo mhaide is tabhair sochraid stáit dó,
Bíodh na beithígh ar garda agus é ag dul síos.

Caithfidh mé stopadh anois mar cloisim béiceach,
Ní cheapfainn an t-am seo gurb iad na beithígh iad.
Tá an glór sin feargach ach if *I am not mistaken*
Sin é Joe Joe atá ag teacht 'mo dhiaidh!

BINGÓ

Tá muintir na mbailte seo uilig mar a chéile,
Tá siad ar fad craiceáilte is ní magadh ná bréag é.
Ní thabharfaidh siad aon fhreagra ort i mBéarla ná i
     nGaeilge;
Níl ach focal amháin fanta acu is tá sé i mbéal gach éinne-
Bingó, bingó, bingó, bingó, bi-in-gó.

Deir daoine gur galra é agus is daoine iad siúd atá léannta,
Gur measa go mór fada é ná an galra crúb is béil úd.
Tá deireadh le caithimh aimsire, le amhráin, is le scéalta;
Pé ar bith áit a gcastar thú is é an port é atá ag gach éinne-
Bingó, bingó, bingó, bingó, bi-in-gó.

Bhí mé ag caint an lá cheana le ollamh mór le Gaeilge;
D'fhiafraigh mé faoin ngalra dhó nó an raibh sé *contagious*?
Dá gcaithinnse mo theanga leis, ní leigheasfadh sé mo
     scéalsa,
Ní thabharfadh sé aon fhreagra orm ach an freagra ceanann
     céanna—
Bingó, bingó, bingó, bingó, bi-in-gó.

Bhí beirt ar an mbaile seo a bhí i ngrá lena chéile,
Bhí *romantic fever* ceart orthu má bhí sé ariamh ar éinne.
Ní maith liom a bheith ag caint orthu ach d'imigh siad ó
     chéile;
Chuala mé gurb é an galra úd a scar iad óna chéile—
Bingó, bingó, bingó, bingó, bi-in-gó.

Chonaic mise seanbhean is í ag screadach is ag béiceach,
Bhí airgead á chaitheamh aici mar a bheadh *millionaire*
    ann.
"Ní ghlacfaidh mé *free transport* ná an pinsean ina dhiaidh
    sin
Mar ghnóthaigh mise an *jackpot*, is choinnigh sí uirthi ag
    béiceach—
Bingó, bingó, bingó, bingó, bi-in-gó.

Scríobh mise ag Frankie is ag Angela ina dhiaidh sin,
Mar bhí fhios a'm go raibh cleachtadh acu ar *phroblems* a
    réiteach.
Scríobhadar ar ais a'm i bhfocla móra Béarla—
If you can't beat them join them — ba shin é leigheas mo
    scéalsa.
Só, bingó, bingó, bingó, bingó, *here I come!*

NA LOTTERIES

Fonn: *An Staicín Eorna*

Ó, muise duine thú atá craiceáilte
Más duine a chuireann fataí thú;
Déan dearmad ar thalamh feasta,
Fág an ealaín sin i do dhiaidh
Mar tá bealach tagtha thart anois
Le go ndéanfaidh tú neart airgid
Is *guarantee* chomh maith leis sin
Thú bheith i do *mhillionaire*.
Óir sin é an port a d'airigh mé,
Is a bhíodh go síoraí á chasadh dhom,
Airgead a dhéanamh go *handy,*
Cáil an té nach nglacfadh é?
Ach tar éis ar scríob mé de na *lotteries,*
Is *by dad* scríob mé cuid mhaith acu,
Níos faide atá mé ag teannadh
Ó 'bheith 'mo *mhillionaire*.

Nach iomaí cineál gadaí
A tháinig ariamh na bealaí seo?
Ach seod anois *pickpocketer*
Chomh maith is a chonaic mé.
Dá mbeadh airgead ar maidin a't,
Is tú a bheith ar garda ag faire air,
D'imeodh sé i nganfhios uait
Mar dheatach thríd an aer.
Ó, dá nglacfadh tú mo chomhairle,
Ní ghabhfadh tú á chuartú,
Mar níl ann ach cur amú dhuit
A bheith ag tóraíocht an lá inné.
Níl aon mhaith a bheith ag eascainí níos mó orthu,
Mar ní chuirfidh sin aon ruaig orthu,

78

Dhá ndúnfadh muid a súile orthu,
They might just go away.

Ó bhí aithne ar sheanbhean gheanúil a'm,
Ba é an bingó i gcónaí a thaitníodh leí;
Bhí sí chomh ceanúil air
Is a bheadh bó ar choca féir.
Ó, muise dúirt sí liom, is ghlac mé leis,
Murach bingó nach i bhfad a mhairfeadh sí.
Shíl mé fhéin seal den saol
Nach n-inseodh bean dom bréag
Ach ag bingó, a dhriotháirín, ní fheicfir feasta í;
"Waste of time", a abrann sí.
Níl aon am le caitheamh feasta aici
Leis an gcineál sin de cheird.
Dá bhfeicfeadh tú le gairid í,
Ó, ní go maith go n-aithne'á í,
Í stripeáilte ag scríobadh *lotteries*—
Nach diabhaltaí an mac é an saol.

Ó, muise murach na gadaithe de *lotteries*,
Chumfainn amhrán ceart eicínt
Ag moladh Chonamara, nó rud eicínt mar é.
Ach tá mo chloigeann bocht le fada anois—
Tá an mheabhair ar fad ag bailiú as—
Is iad na gadaithe de *lotteries*
A d'fhág mar sin é.
I mo chodladh nó i mo dhúiseacht,
Ní bhfaighidh aon mhaidin níos mó mé;
Tá réalta i mo shúile
Cé go ndéanfadh trí cinn mé;
Tá ticéad— ar ball a fuair mé é—
Níl mé ag rá nach é an chaoi ar ghoid mé é,
Scríobfaidh mé le deifir é,
Déarfainn fhéin gurbh sheod é é!

BLEÁN NA BÓ nó AN "ROCK 'N ROLL"

Ó, d'éirigh mé ar maidin is chuaigh mé ag bleán na bó;
Ó, d'éirigh mé ar maidin is chuaigh mé ag bleán na bó;
   Chuaigh mé ag bléan na bó.

Amhrán ar an sean-nós a chasainn chuile mhaidin don bhó;
Tháladh sí an bainne is bhínnse sásta go leor; *oh yeah,*
   Bhínnse sásta go leor.

Ach ansin tháinig athrú, athrú an-aisteach ar an mbó;
Thosaigh sí ag cartadh is ní thálfadh sí aon bhainne níos
   mó; *oh no,*
   Ní thálfadh sí aon bhainne níos mó.

Smaoinigh mé ar phlean— ó, chasfainn di *rock 'n roll;*
B'fhéidir nár thaitnigh an sean-nós léi níos mó; *oh no,*
   Níor thaitin an sean-nós léi níos mó.

Ó, anois a bhíonns an chraic a'm is mé ag bleán na bó;
Tosaíonn sí ag pramsáil is tálann sí an bainne gan stró;
   oh yeah,
   Tálann sí an bainne gan stró.

Ó, nach iontach is nach aisteach an rud é an *rock 'n roll,*
Murach go bhfuil sé aisteach ní bheadh sé á dhaimsiú ag
   bó; *oh no,*
   Ní bheadh sé á dhaimsiú ag bó.

Véarsa a haon arís

AN MHAIGHDEAN MHARA

Tá báid á moladh is á gcáineadh
Níos faide ná théann mo chuimhnese siar.
Nach rí-bhocht an scéala le rá é
Gur ar an ngannchuid anois atá siad.
Ach tá bád a dtugaimse an barr di
Ag treabhadh na bhfarraigí fós;
Dá mhéid le rá é a cuid breátheacht',
Ní mó é ná a cáil is a cliú.

Curfá:

Tá an Mhaighean Mhara ag seoladh
Is Rí na Glóire go dtabharfaidh í slán.
Nach iontach an radharc í faoi sheolta
Ag dul Cuan an Fhir Mhóir maidin bhreá?
Tá íseal is uasal ina gcéadta
Ag teacht chugainn i bhfad is i ngearr
Go bhfeicfidh siad an Mhaighdean Mhara
Mar chuala siad a cliú is a cáil.

Nach mór an onóir do Choilleán an bád seo,
Do Choilleán is don Cheathrú Rua;
Clann Uí Dhonncha a rinne gan cháim í,
Is mar atá 'fhios againn is leo í fós.
Is é Johnny caiptín an bháid seo,
Is é a choinníonn gach ní mar is cóir.
Ní theastaíonn an ghaoth uaidh ón talamh,
Ní áirím an fharraige lom.

81

Ach stríocadh muid na seolta go fóilleach,
Beidh an chóir le fáil a'inn ar ball.
Ólfaidh muid sláinte an chomhluadair,
Go mba fada a mhairfeas a gcáil.
Is beidh an Mhaighdean Mhara ag seoladh
Is Rí na Glóire á tabhairt slán.
Nach iontach an radharc í faoi sheolta
Teacht Cuan an Fhir Mhóir maidin bhreá?

Curfá

MAITH GO LEOR

(Nuair a bhíonn duine óltach, deirtear go mbíonn maith go leor".
Tá an fear seo ag iarraidh a dhul abhaile ach tá an bealach amú air. Castar Máire leis. Ag teacht ar an ardán dó, deireann sé le fonn, "Tá 'na Lá").

Tá na beithígh ar fad gan bleán,
Tá na laonta gan aon deoir bhainne,
Tá mo bhean ag fear na comharsan,
Is nach mise an diabhal nach dtéann abhaile.

Fear:
Tá mise ag dul abhaile anois
Ach níl fhios a'm cén bealach;
Tá an oiread bealaí thart orm,
Go bhfuil mé measctha trína chéile.
Tá bealach an bealach sin—
Ach tháinig mé an bealach sin;
Suífidh mé anseo tamall,
B'fhéidir go bhfaighinn mo léargas ar ais.
(Suíonn sé ar thaobh an bhóthair agus ansin tagann Máire an bealach)

Máire:
An bhfuil tusa ceart go leor,
An bhféadfainn cabhrú leat i slí éicint,
An raibh duine éicint ag caint leat?

Fear:
Bhí mé ag caint liom fhéin.

Máire:
An bhfuil do bhaile i bhfad as seo,
Nó an dteastaíonn uait 'dhul chomh fada leis?
Ó tháinig mé an bóthar seo,
Ba mhaith liom cabhrú leat dá bhféadfainn.

Fear:
D'fhéadfá a rá agus abair é
Go bhfuil mise ceart go leor;
"Maith go leor" atá mé, a chailín,
Ach níl aon dochar sa méid sin—
Mo bhaile? Tá sé an bealach sin,
Nó meas tú an bhfuil sé an bealach sin?
Nuair a bhíonn tú ag aireachtáil mar airímse,
Bíonn chuile bhealach mar a chéile.

Máire:
Gaelainn na Mumhan atá agamsa—

Fear:
Deir siad gur "Gaeilge Chonamara" atá agamsa.

Máire:
Níl mé fhéin bodhar amach is amach,
Cloisim fhéin an méid sin.

Fear:
Mura dtuigeann tú mo chuid cainte
Níl aon neart agamsa ort;
Bíonn uaireanta ann, a chailín,
Agus ní go maith a thuigim fhéin í.

Máire:
Ná bíodh sé sin ag cur isteach ort,
Tuigim do chuid cainte;

Tá cleachtadh mhaith ar na canúintí go léir agam,
Dála an scéil, "Máire", m'ainmse.

Fear:

"Maire", is deas an t-ainm é.

Máire:

Dá n-inseofása t'ainm dhom,
Chuirfimis aithne ar a chéile.

Fear:

Tá sé píosa fada ó baisteadh mé
Agus 'bhfuil fhios a't
Go bhfuil dearmad déanta ar m'ainm agam;
Ach tugtar ainmneacha cuid mhaith orm,
Ach ní bhíonn go leor acu an-Ghaelach.

Máire:
Cén fáth a mbíonn tú ag ól sa slí sin?

Fear:

Mar is é an t-aon bhealach atá fhios agam é,
Má tá bealach eile ann le ól, a chailín,
Níor casadh fós liom féin é.

Máire:
Fágfaidh an t-ól ar seachrán tú,
Do cháil ar fad, scaipfidh sé,
Ní éistfear le do chuid cainte,
Ní aithneofar thú sa saol seo.

Fear:
Rud amháin atá a fhios agamsa,
Ní maith liom 'bheith ag caint air,
Nuair a bhíonns aoibhneas an tsaoil seo ag imeacht uait,

Nach cuma céard a dhéananns aon rud?

Máire:
Seafóid ar fad is ea an chaint sin agat,
Níl aoibhneas an tsaoil ag imeacht uait,
B'fhéidir go bhfuil deacrachtaí agat,
Ach bíonn deacrachtaí ag gach éinne.
Tá aoibhneas an tsaoil ag fanacht leat
Ach tá tú ró-dhall le dhul chomh fada leis.
Níl sé fuirist dul chomh fada leis ach is féidir é a
dhéanamh.
Éist liomsa tamall,
Agus tabharfaidh mé comhairle do leasa dhuit.

Fear:
Níl comhairle ná aon rud ag teastáil uaim,
Ach fág anseo liom féin mé.
Imigh leat mar a dhéanfadh cailín maith,
Go raibh maith agat faoi theacht chun cainte liom,
Nuair a bheas do chomhairle ag teastáil uaim,
Cuirfidh mé agat scéal.

Máire:
Murach go bhfuil foighne agus tuiscint agamsa,
Chuirfeadh do chuid cainte fearg orm.
Nach bhfuil fhios agat nach féidir leat
Dul ar aghaidh sa saol seo i d'aonar?
Bíonn cairde agus tuiscint ag teastáil uait
Mar deir an seanfhocal, "Níl neart gan cur le chéile".

Fear:
Bhí cairde thar cairde agamsa
Nó an uair úd sin a cheap mé;
Ach an uair is mó a bhí siad ag teastáil uaim,
Ansin bhí mé i m'aonar.

Máire:
Tá mise a rá leat nach bhfuil an ceart agat.

Fear:
Ní bheinn ag súil lena mhalairt uait,
Céard tá ionat ach bean?
Bíonn sibh uilig mar a chéile.

Máire:
Tá mise ag ceapadh gur cleasaí thú,
Agus gur cur i gcéill ar fad an chaint sin agat.
Ba cheart duit 'bheith ag aisteoireacht,
Thabharfadh sé dearcadh eile ar fad ar an saol duit.

Fear:
Bhí uair ann — ach cén mhaith a bheith ag caint anois—
Ba é mian mo chroí 'bheith ag aisteoireacht,
Bhí sásamh breá le fáil as.
Ach céad faraor, d'imigh an méid sin;
Ach anois níl ach smaointe fanta agam
Faoin am úd nach dtiocfaidh ar ais chugam,
Is má tá mo chiallsa scaipthe,
Cén t-iontas é i ndiaidh an méid sin?

Máire:
Ach d'fhéadfá fós 'bheith ag aisteoireacht...

Fear:
Ach níl am agam le caitheamh leis.

Máire:
Ach tá am agat le bheith ag ól is ag ragairne!

Fear:
Chuala mé cheana an scéal sin.

Máire:
Tá plean mhaith agamsa,
Agus má leanann tú é ní bheidh aiféala ort;
Déanfaidh an bheirt againn agallamh
Ag an bhFéile Náisiúnta lena chéile.

Fear:
Cén sórt cainte í an chaint sin agat?
Tá mise nó thusa craiceáilte;
Cén chaoi a ndéanfainnse agallamh?
Níl mé in ann, tá sé ró-dhéanach.

Máire:
Déanfaidh tú an t-agallamh,
Agus ní ghlacfaidh mé le aon argóint;
Déanfaidh tú anois mar a rinne tú cheana é;
Ní bhíonn sé ariamh ró-dhéanach.

Fear:
Ach tá rialacha casta ag baint le agallamh—
Tá sé tábhachtach do na cainteoirí
Go mbeadh acu an chanúint chéanna.

Máire:
An bhfuil tú ag rá nach bhfuil mé maith go leor
Le bheith páirteach leat in agallamh?
Tá Gaelainn shaibhir agamsa,
Níl sí meascaithe thríd an mBéarla.
Nach *'bicycle'* a bhíonn agaibhse
Nuair a bhíonn 'rothar' againne?
'Coscáin' againne: ní úsáidimid *'brakes'* in aon chor.

Fear:
Stop! Stop! A chailín,
Is ná bí do mo chraiceáil leis na cainteanna sin.

Is iomaí uair a bhí *'bicycle'* agamsa
Agus ní raibh fiú an *'brake'* féin air.
Níl locht ar bith agamsa ar do chuid Gaeilge nó ar do
chanúint;
Is é an rud is tábhachtaí choinh fada is a fheicimse é
Ná go dtuigeann muid a chéile.
Ó, dá mbeadh deoch amháin eile agam,
Thabharfadh sé misneach dhom le haghaidh an agallaimh.

Máire:
B'fhéidir gur fearr gan bacadh leis,
Sin misneach bhréige.

Fear:
Ach nuair a bhí cairde ag teastáil uaim,
Sin an uair a fuair mé aithne air.
Tháinig sé chomh fada liom
Agus ní raibh mé ansin i m'aonar.
Ó, nuair a chloisfidh muintir na mbailte seo
Mise a bheith ag iarraidh a bheith ag aisteoireacht,
A gcluasa féin ní chreidfidh siad,
Is ní go maith a chreidfinn féin é.
Cuireann an smaoineamh sin craitheadh orm,
Níl sé chomh héasca is a bhreathnaíonn sé.
Ó, cá ndeachaigh an t-am úd
Nuair a bheadh sé seo dhom éasca?

Máire:
Beidh mise agat mar léiritheoir,
Agus tabharfaidh mé breithiúnas ort.
Beidh foighne agam leat mar léiritheoir,
Ní bheidh mé an-ghéar ort.
Le gluaiseachtaí deas nádúrtha,
Bainfidh tú úsáid as an stáitse go léir.

Fear:
Sin anois aisteoireacht atá tú féin a dhéanamh.

Máire:
Teastóidh soiléireacht chainte uait.

Fear:
Teastóidh go leor chomh maith leis uaim.

Máire:
Do ghlór amach uait, caithfidh tú,
Le go dtuigtear tú go héasca.

Fear:
Dá mbeadh mo ghlór mar ba mhaith liom é,
Bheadh macalla le cloisteáil thart anseo.

Máire:
Dul thar fóir le aisteoireacht,
Ní moltar é a dhéanamh.
Is beag nár rinne mé dearmad—
Ó, caithfidh mé na hainmneacha a chur isteach le haghaidh
an Agallaimh.
Fan ansan tamall—
Tá súil agam nach bhfuil mé déanach.
*(Imíonn sí. Tugann sé a bhuidéal amach as a phóca agus
baineann sé deoch as, agus tosaíonn sé ag caint leis an ól
mar seo).*

Fear:
A chara nár thréig mé,
Is cara gan bhréag thú;
Ó, molaim féin thú anois os ard.
Cé gur fhág tú na céadta ar bheagán céille,
Do chuidse tréithe,

Ní éasca a fháil.
Is é deireadh an scéil é
Gur namhaid an tsaoil thú;
Ach sin an scéal, é gan bun ná barr.
Dá mbeadh aithne ag an saol ort,
Mar atá agam féin ort,
Sin an scéala nach bhféadfaí a rá.
Tá daoine ag rá liom
Gur tú mo namhaid,
Go mbeinn níos fearr gan thú a fheiceáil riamh.
Má bhíonn tú cráite, is an saol do do shárú,
Ó, is beag de do chás
A théanns thríd an gcroí.
Má bhíonn tú in airde,
Ólfaidh siad do shláinte
Ach is cuma as nó ann duit nuair atá tú thíos.
Ó, beidh a fhios agat an t-am sin
Cé hiad do chairde,
Cé a thuigeann do chás,
Do bhrón, is do phian.
Ag iarraidh éaló ó phianta an tsaoil seo
A bhí mé féin nuair a fuair mé thú.
Tháinig tú is d'éist tú le mo scéala,
Is ní raibh mé i m'aonar ansin níos mó.
Faoi phianta an tsaoil ní dhéanaim imní,
Ní airím iad ach tú a bheith liom.
Is nár dheas uait fanacht liom, mo chara dhílis,
Is mian mo chroí ag imeacht uaim.
Céad faraor chráite, níl mise láidir,
Ó, is iomaí lá mé ag dul amú.
Tá srutha an tsaoil seo, a Dhia, ró-láidir,
Ina mbeidh mé báite mura mbeidh tú liom.
Ag tóraíocht aoibhneas, grá is suaimhneas,
A bhíodh faoi bhláth ach atá imithe amú.
A Rí na nGrást, nach mór an feall é

Gur thréig an bláth mé inar chuir mé dúil?

Máire:
Anois tá an brat tarraingthe duit,
Tá an saol ar fad ag fanacht leat,
Níl ach misneach ag teastáil uait,
Smaoinigh nach bhfuilir i d'aonar.

Fear:
Nach trua gan bua na filíochta agam,
Is nach deas mar mholfadh mise thú?
Le focal i ndiaidh focail
A léireoinn féin do thréithe.
Ná bláth na gcraobh is deise thú;
Ná ceol na n-éan is binne thú;
Nach mór é m'áthas, a chailín deas,
Go raibh an t-agallamh seo againn le chéile?

AN FHÍRINNE NÓ AN BHRÉAG

(Seo agallamh faoi bhean atá ag dul thart ag déanamh taighde ar asail agus castar fear ar an mbóthar di).

Fear:
Heileo a chailín, nach breá ar fad an aimsir í?
Dhá bhfanfadh an drochaimsir glan orainn,
Bheadh sé go breá i gcónaí.
Tá a fhios agam go n-aitním thú
Ach tá dearmad déanta ar d'ainm agam.
Tá mé ag fáil chomh dearmadach
Ach ní mar sin a bhím i gcónaí.
Le grá anois don charthanacht,
Nach n-inseoidh tusa d'ainm dom?
Bhí sé dhá fheiceáil dhom le fada
Go dtiocfadh tú ar cuairt agam.
'Sé an fáth gur fhan mé thart anseo
Mar bhí a fhios agam go mbeadh eolas ag teastáil uait.
Más Gaeilge an teanga is ansa leat,
Is mise fhéin an múinteoir.

Bean:
Dhá mbeadh Gaeilge ag teastáil uaim,
Is fada ón áit seo a d'fhanfhainnse.
Nach é an cháil atá le fada oraibh,
Go raibh sibh ag tréigint a ndúchas?
Ach ó tharla go bhfuair tú caidéis dhom,
Agus thú i do staic ansin sa mbealach romham,
B'fhéidir go n-inseoinn m'ainm dhuit,
Dhá dtabharfá domsa cúnamh.

93

Fear:
Beidh mé i mo sclábhaí ag freastal ort
Le cúnamh ar bith a theastaíonn uait.
Threabhfainn fhéin an fharraige dhuit
Fiú amháin ar mo ghlúine.
Níl aoibhneas níos mó a theastaíonn uaim
Ná a bheith i gcónaí ag breathnú ort.
Inis dom do achainí
Agus beidh agat mo chúnamh.

Bean:
Óra, éirigh as an ealaíon sin;
Ní rómánsaíocht ar bith a theastaíonn uaim,
Ní leis an gcineál sin cainteanna
A thabharfas tú dom cúnamh.
Sna leabhra seo atá agamsa,
Tá ceisteanna a dteastaíonn freagraí uaim.
Taighde atá mé a dhéanamh
Má thuigeann tú leat mé— sin é fáth mo chuarta.

Fear:
Níl sé ach seachtain ó shoin
Ó tháinig bean eile an bealach seo;
Bhí oiread leabhra faoina hascaill aici
Agus nach dtabharfadh asal leis ina ualach.
Bhí sí ag cuartú, agus ag cartadh thart—
Upsidedown a d'fhág sí an baile seo.
Ach an rud ba ghreannmhaire ar fad faoi,
Ba seilimidí a bhí sí a chuartú.
"Snails" adeir sí *"are valuable"* —
Béarla a bhíodh sí a labhairt an t-am ar fad.
"Itheann daoine" adeir sí "sa bhFrainc iad."
An gcreidfeadh tusa an scéal sin?
Bíonn an oiread seilimidí thart anseo
Go mórmhór nuair a bhíonn an drochaimsir againn—

Dhá bhfaigheadh muid aon cheannacht orthu,
Ba chineál *millionaires* muid.

Bean:
Seilimidí agus frogannaí,
Is ea, cinnte bhí an ceart aici.
Cá bhfaighfí béile níos blasta,
Nuair a bhíonn a fhios agat le é a réiteach!
Aon rud a deireann bean leat, creid é
Fiú amháin mura dteastaíonn uait.
Cén uair a chonaic tú nó a d'airigh tú
Bean ag inseacht bhréaga?

Fear:
Mura bhfuil dul amú nó mearbhall orm,
Tá mé ag breathnú anois ar bhean acu.
Is maith atá a fhios agamsa
Go bhfuil an fhírinne nó an bhréag agat.
Tá daoine ar aithne agamsa
Agus ní chuirfeadh sé ionadh orm
Dhá mbeadh siad ag ithe seilimidí agus frogannaí
Mar níl aon oíche ná lá na seachtaine
Nach mbíonn siad fhéin ag ithe a chéile.

Bean:
Ní mar gheall ar sheilimidí ná frogannaí
A tháinig mise an bealach seo
Asal atá ag teastáil uaim
Nó asail dhá ndéarfainn.
Tá cion le fada ar asail agam.
Tá gean ar chuile chineál ainmhí agam
Ach is é an t-asal bocht is ansa liom—
Nár scríobh Sean-Phádraig fhéin faoi?

Fear:
San áit seo má tá easpa orainn,

Is cinnte nach easpa asal é.
Anyways nach asail ar fad, a stór, atá againn
Ag grágaíl is ag screadaíl.
Má tá lán cúpla leoraí ag teastáil uait,
Ní bheidh mise i bhfad dhá mbailiú dhuit.
Má tá cúpla punt *handy* agat,
Ní bheidh muid briste lena chéile.

Bean:
Nach bhfuil fhios agat go bhfuil an t-asal beannaithe
Agus ná labhair faoi ar an mbealach sin!
Nár iompar sé an Mhaighdean Bheannaithe
Is a maicín ar a dhroim.

Fear:
Na hasail atá thart anseo—
Chuaigh mise ag marcaíocht ar cheann an lá cheana—
Chroch sé a leathdeireadh agus chaith sé mé.
By dad, ní dhéanfainn é arís.

Bean:
Ní bheadh milleán ar bith ar an asal agam
Má chuaigh do leithéidse ag marcaíocht air.
Shílfeá go mbeadh ómós don asal agat,
Agus siúil go deas lena thaobh!
Ó, is dóigh go raibh an maide agat
Agus gur lasc tusa an t-asal leis;
An t-ainmhí bocht beannaithe
Á threascairt os comhair an tsaoil.

Fear:
An bhfuil a fhios agat nuair a smaoiním air
Go mbíonn trua don asal agam?
Cuirim i gcosúlacht liom fhéin é,
Agus muid ag dul in aois.

Ba mhór i gceist tamall muid,
Is iomaí áit ar theastaigh muid,
Ach anois níl mórán measa orainn.
Ó, nach iontach an mac é an saol?

Bean:
Éirigh as an gcaint sin agat,
Níl deireadh fós tagtha leo.
Má imíonn ceann, tiocfaidh ceann
Mar a bhí i gcaitheamh an tsaoil.
B'fhéidir nach bhfuil obair feasta dhóibh,
Nó sclábhaíocht ab fhearr mar ainm air;
Ach beidh áit i gcónaí don asal bocht
In imeachtaí an tsaoil.

Fear:
Má fhágtar ag fánaíocht thart iad,
Is gearr a bheas aon cheann fanta acu.
Bhuail carr ceann an oíche cheana acu,
Agus chuaigh sé glan tríd an *windscreen*;
Shíl mé gur bamb a caitheadh
Leis an bpléasc a d'airigh mé.
Rómhar sé cúpla uair ar an talamh é fhéin,
Agus an bhfuil fhios agat ach gur éirigh sé arís?

Bean:
Bealach amháin ceapaimse
A saothrófar leo roinnt airgid—
Nuair a thiocfaidh na strainséirí
Leis an samhradh ar ais arís—
Bíonn na tránna atá thart anseo
Plódaithe suas le strainséirí
Is nach dtabharfadh an t-asal marcaíocht dóibh
Ag saothrú cúpla pingin?

97

Fear:
Bíonn na *yanks* a thagann craiceáilte
Ag tarraingt pictiúir de na hasail seo.
Chonaic mise an-cheann an bhliain cheana ansin—
B'fhéidir go mb'fhearr dhuit é a scríobh síos:
Ar choirnéal bhí *crowd* asal ann
Agus tháinig *crowd yanks* chomh maith leo ann.
Nuair a chroch asal acu a dhriobal
Chuir sé scaipeadh agus fán ar *yanks* soir agus siar.

Bean:
Is asal é asal, is nádúr é nádúr;
Ní féidir capall rása a dhéanamh de asal choíchin.
Ach breathnaíodh muid amach dóibh nó beidh sé ró-mhall
againn,
Is beidh aiféala ansin orainn nár shábháil muid iad.
Na ceisteanna atá agamsa anseo — faoi asal atá siad.

Fear:
Faoi asal atá siad ach faoi asail a bhíodh siad.

Bean:
Cuirfidh mise na ceisteanna má tá tusa sásta.

Fear:
Mura mbeidh mise sásta ní fhreagróidh mé iad.

Bean:
Cé mhéid cineál asal ar fad san áit seo?

Fear:
Tá an oiread cineálacha san áit seo is nach gcomhairfeá i
mbliain iad.

Bean:
Cén t-achar a mhaireann siad?

Cén rud is mó a chuireann chun báis iad?

Fear:
Is dócha go mairfeadh siad go brách murach go gcailltear
iad.

Bean:
An bhfuil go leor asail dhubha ann?

Fear:
Muise tá is cinn bhána.

Bean:
An bhfuil mórán *piebald* ann?

Fear:
Níor chomhairigh mé ariamh iad.

Bean:
Ní maith liom an chaoi a bhfuil freagraí na gceisteanna á
bhfáil agam.

Fear:
Mura maith cén fáth an gcuireann tú iad?
D'fhéadfadh muid a bheith ag agallamh mar seo go dtí
amárach.

Bean:
D'fhéadfadh muid amárach tosú arís.
Seachain an gceapfadh tú go bhfuil tú in ann mise a shárú.
Má theastaíonn uait dea-chaint, muise, gheobhaidh tú í.

Fear:
Nuair a thosaigh tú ag caint ar an asal ar ball liom—'bhfuil
a fhios agat ach go bhfuil scéal agam agus caithfidh mé

inseacht duit faoi.

Uaireanta bíonn corr-amhrán á rá agam cé gur rí-mhaith atá a fhios agam nach maith a deirim iad.

Tá fear ar m'aithne is nuair a chloiseann sé mo chuid amhránsa, is éard a deireann sé ná, "tá an t-asal ag grágaíl arís."

Bean:
Caithfidh sé go bhfuil aithne aige ort agus a leithéid sin a rá leat.

Ach anois ag deireadh an agallaimh, fágfaidh muid siúd mar atá sé;

Coinnigh ort ag grágaíl go bhfeicfidh mé tú arís.

Fear:
Tá mise ag dul an bealach seo.

Bean:
Ach tá mise ag dul an bealach seo.

Fear:
Dá ngabhfadh mise do bhealachsa, nach mbeadh an bheirt againn ag dul an bealach céanna?

Bean:
Glacfaidh mé le do thairiscint, is féidir leat teacht an bealach seo.

An scian is géire feannadh sí, is muid ag agallamh le chéile.

COMHLACHT FOSTAÍOCHTA CHONAMARA

Fear:
Bail ó Dhia isteach anseo.
Níl a fhios agam an bhfuil an áit cheart agam?
Jab atá ag teastáil uaim, tá mé tuirseach den
díomhaointeas.

Bean:
Comhlucht Fostaíochta Chonamara, is ea, tá an áit cheart
agat.
Tarraing agat an chathaoir sin más maith leat suí síos.
Tá roinnt ceisteanna anseo agamsa agus nach mb'fheidir go
mbeadh na freagraí agat?
Ar aon nós, tá neart ama againn...
B'fhéidir go mb'fhearr duit suí síos.

Fear:
Tá *crowd* mór ag fanacht leat, nó bhí nuair a chuaigh mise
isteach tharstu.
'Bhfuil a fhios agat céard a dúirt bean acu liom ach go
raibh mise ag briseadh an dlí?
Lig mé orm fhéin go raibh mé craiceáilte, tá mé ag rá leat
nach raibh sí ag fágáil bealaigh uaim.
Ó, a leithéid de chlabaireacht, níor chuala mise ariamh.

Bean:
Jab adeir tú atá ag teastáil uait.

Fear:
Jab in 'easpiceal' a thaitneodh liom — tá an-eolas agamsa
ar an easpiceal;

Nach ann a chaith mé leath mo shaoil?
Ó, hó, na nuirseanaí agus na cailíní, ina ndiaidh nach mé a bhí craiceáilte?
An té a bheadh ag breathnú orthu, ní aireodh sé pianta an tsaoil.

Bean:
Ospidéal agus ní 'easpiceal' — sin é an chaoi cheart le é rá.

Fear:
Is í Gaeilge Chonamara atá agamsa.
Is í a chleacht mé i gcaitheamh mo shaoil.

Bean:
Ó, éireoidh muid as an tseafóid seo, tá rudaí níos tábhachtaí ag fanacht linn,
Tá plean leagtha amach do Chonamara agam, agus inseoidh mé duit faoi.

Fear:
Plean do Chonamara, nach pleanannaí ar fad atá againn?
Nach iad na pleanannaí muga magaidh seo a d'fhág muid gan tír?
Geallúintí agus pleanannaí, cén t-iontas má tá muid craiceáilte.
Pleanannaí i gConamara, ná clocha is fairsinge iad.

Bean:
Fós níor tháinig an bealach seo aon phlean mar an phlean seo atá agamsa.
Beidh Conamara feasta neamhspleách ar an gcuid eile den tír.
Cuirfidh muid sconsa is balla thart timpeall Chonamara.
Beidh sé chomh láidir daingnithe le *battery* Ros a' Mhíl.
Cruinneodh muid agus tarraingneoidh muid na clocha as na

garranntaí, agus feicfidh tú an balla seo ón talamh ag teacht aníos.

Le obair stuama a dhaingneofar é; ar na spéartha suas, ó tarraingneoidh sé.

Seo é an balla a chosnós muid, a bheas déanta ó thogha na saor.

Fear:
Bhuel, bail ó Dhia ort a chailín ach tá an cloigeann san áit cheart ortsa.

Óinseachaí agus amadáin an chuid eile atá san saol.

Sin anois plean agat, agus plean a dtabharfá plean air

Ní chuimhneodh fear go deo air mar ní bheadh sé sách grinn.

Bean:
Ó, tosnóidh muid ag obair nuair a bheas an balla thart orainn.

Saothróidh muid an talamh agus cuirfidh muide síol.

Ní go héasca geallaim duit a thiocfas an t-athrú seo,

Ach tiocfaidh sé geallaim duit agus ná bíodh aon aimhreas ort faoi.

Fear:
Cén chaoi a leasófar an talamh nuair a thógfar an balla?

Diabhal blas diúain i gConamara, mura dtiocfaidh sé i dtír.

Bean:
Ní le diúain a leasaíodh fadó é — leasaíodh le feamainn as na cladaí é — agus má déanadh é an t-am sin, cén fáth nach bhféadfaí é a dhéanamh arís?

Má théann muid do réir an nádúir, ní bheidh againn mórán deacrachta.

Beidh an capall, agus an carr, agus an t-asal againn arís.

Fear:
Ní maith liom é a rá leat ach feictear dom gur aisteach é
bean ag múineadh a gcearta dúinn.
Ní hin é nádúr an tsaoil.
Nach mar sclábhaithe a bhíodh na mná sa saol úd atá
bailithe uainn.
Cearta ná cead cainte, ní raibh a fhios acu tada faoi.
Ach anois ó tá na mná agus a gcearta á mbaint amach acu,
Ní éasca iad a cheansú, ina lámha má fhaigheann siad an
srian.

Bean:
Dúirt scríbhneoir uair amháin gur duine ann fhéin a bhí i
Sean-Mhaitís ach beidh muid ar nós Shean-Mhaitias san
athrú seo atá ag teacht.
Is éard a déarfas an chuid eile d'Éirinn ná gur daoine cineál
aisteach muid; ná bac le muintir Chonamara agus leatsa ní
bhacfaidh siad.

Fear:
Ó, *fair play* go bhfaighidh tú, ach is iontach ar fad an cailín
thú.
Ó nach againn a bheidh an sásamh ar an gcuid eile den tír.
Bídís ag caint orainn, agus ag cúlchaint má thugann sé sin
taitneamh dóibh mar beidh an balla eadrainn láidir agus ní
chloisfidh muide iad.

Bean:
Grua ná féasóg, ní bhacfar í a bhearradh; mar a bhí ár
sinsear a bheas muid arís.
Má thagann daoine ag déanamh iontais faoin gcaoi seo a
bhfuil muid,
Ó, airgead ard a bheith acu le n-íoc.

Fear:

Cén chaoi a dtiocfadh siad go dtí muid má bhíonn an balla
chomh hard sin?

Nó an fíor mar a dúirt Tam Rua liom go mbeidh aerphort
sa Rinn?

Bean:

Bhuel, tá aerphort sa bplean againn agus anois ó tharla thú
á rá liom, cé bhfaighfeadh tú áit níos feiliúnaí le aerphort
ná an Rinn?

Fear:

Nuair a bhrisfeas an Mhuic Ghainnimhe, is í a chuirfeas na
aeroplanes ag ardú.

Díosal ná peitreal, ní chaithfidh sí iad.

Cé a déarfadh nach iontach an mac é an nádúr —

Beidh iontais ar ball le feiceáil sa Rinn.

Bean:

Mná as an tSeapáin na mná a bheidh ar ball agat.

Ní fada go mbeidh siad ag *landáil* sa Rinn.

Roinnfear amach iad ar bhaitsiléirí na háite...

Chuala mé go mbeidh tús áite le fáil ag an mBóthar Buí.

Fear:

Muise ní bheidh aon phlé agamsa leo — tá mé i ngrá mar
atá mé.

Cén mhaith anois a bheith ag trácht air mar is fada ón áit
seo atá mo mhian?

Níl balla ná sconsa dhá mhéid é a láidreacht, a choinneodh
mo ghrása sa gcineál sin saoil.

Bhí sí pósta cheana is ní uair é ná dhá uair, is ní le balla ná
sconsa a choinneos muid í.

Bean:
Glac le mo chomhairle nó beidh sé ró-mhall agat.
Tug abhaile go Conamara ar bhealach éigin í.
Nuair a bheidh an balla seo déanta daingnithe láidir, i
gConamara má tá sí, i gConamara a bheidh sí.
Ach stopadh muid an chaint seo mar tá muid ag cur amú
ama —
Is iomaí sin rud eile le socrú againn fós.
Ach mar a deir an seanfhocal—agus is deacair é a shárú —
Na caisleáin, ní i lá amháin a thógfar iad.

Fear:
Níor dhúirt tú fós i do chuid cainte liom go mbeadh jab nó
fiú amháin geallúint ann.
Abair liom má theastaíonn uait go dtiocfaidh mé arís.
Le fáinne na fuiseoige, bheinnse anseo ar maidin a't —
Dá mbeadh a fhios a'msa go mbeadh *start* a't dom, ní
bheinn i bhfad ag teacht.

Bean:
Ó tharla gur as Conamara thú, agus roimh obair chrua
mura bhfuil faitíos a't, beidh do leithéid ag teastáil uainn
san athrú seo atá ag teacht.
Tá a fhios a'tsa chomh maith is tá a fhios a'msa gur ar scáth
a chéile a mhaireann muid.
Ní neart go cur le chéile, is nach fíor na focla iad.
Ach is fearr duitse a dhul abhaile anois *(bíonn sí á bhrú
amach sa doras...)*

Fear:
Nár ba fada, a chailín, go bhfeice mé thú arís.

Bean:
(tagann sí ar ais, suíonn sí síos agus deireann sí:)
An chéad duine eile le haghaidh agallaimh...

AGALLAMH IDIR FEAR OIBRE AGUS BANRÍON BHEACH

(Agallamh Beirte do pháistí).

Fear Oibre:
Hé, hé, an bhfuil mé ag caint liom féin?
Fan agus éist liom le haghaidh an chraic!
Ní cur i gcéill ná bréag an reic
A bhí idir mé is an Bhanríonbheach.

Lá breá gréine ag baint an fhéir dom,
Is m'intinn go haerach ar bhuillí mo speile,
Tharraing mé a géire ar thulán féir bhig
As ar léim na céadta beach amach.

Scaip siad soir agus siar fré chéile
Ag gleo is ag scréachaíl mar a bheadh gé ar nead.
Chonaic mé an bhanríon orm ag déanamh
Is ar chnaipe mo léine a rinne sí stad.

D'fhógair si ciúineas i nglór dea-bhéasach
Agus ar a *Lady-in-Waiting*, d'iarr sí fanacht.
D'iontaigh sí a súile go réidh ar m'éadan
Is rinne sí méanfadh a nocht a drad.

Bhí léine dheas uirthi, de shíoda — déarfainn,
Agus iongacha a méara faoi phéint ar fad.
Ní raibh falach éadaigh ó bhéal a cléibhe
Go básta néata i bpéire *"shorts"*.

Beach:
Cén fáth an réabadh nó an trína chéile?

Nó ar thit na spéartha anuas ina rap?
Labhair, a fhir chóir, agus bíodh i do scéalsa
Do dhóthain réasúin le mé a thabhairt ó mo nap.

Fear Oibre:
Éist! Éist! A bhean chroí, agus labhair go réidh liom
Is ná cloiseadh aonduine mé ag caint le beach.
Thréigfeadh an baile mé — ó Dia dhá réiteach,
Gheobhainn *"lift"* go héasca go Teach na nGealt.

Beach:
Anois, a chréatúir, níl fáth le éagaoin.
Ní theastaíonn spéacláirí uait le go bhfeicfeá an chreach.
Ní theastaíonn *"brains"* uait ach tuiscint éigin
Le cur i gcéill duit go bhfuil mé anois gan teach.

Fear Oibre:
Leis an gceart a dhéanamh, tá cúis ghearáin ghéar a't
Ach cén fáth in Éirinn nár chroch tú *"flag"*?
Cén fáth nár bhéic tú? Bhí seans is céad a't
Le indicéatáil cá raibh do theach.

Beach:
Ó, as ucht Dé ort, is ná bíodh díth céille ort.
An dtuigeann tú in aon chor cén chaoi a oibríonn beach?
Ó sholas lae inniu, ag cruinniú céarach —
Ar éigin fhéin a bhain mé an leaba amach.

Níl maith á shéanadh, tá mo chroí istigh céasta,
Beidh luach na gcéadta ag an ngrian ó rath.
Beidh na curtains tréigthe — gan trácht ar aon chor
Ar an troscán atá déanta ó ré *Queen Anne*.

Fear Oibre:
Thairg mé fascadh di chomh maith is d'fhéad mé;

Céard faoi théarma i gcró na gcearc?
Chuir sí strainc uirthi, is shílfeá gurbh é an chaoi
A raibh mé ag cur lán a béil uirthi de *senna pods*.

Chroch sí a spreangaidí de chnaipe mo léine
Mar bhí beach mhór théagrach á sméideadh ar ais.
Rinne sí meangadh beag is dúirt chomh géimiúil,
"Ní maith leis fhéin mé a bheith ag caint le leads."

"FÁGTAR AGAMSA É"

Seo agallamh faoi dhuine a cheapann go mbíonn fios aige
faoi chuile shórt ní ar domhan. Cineál duine le cloigeann
ataithe, duine a deireann faoi rud ar bith atá faoi chaibidil,
" ó fágtar a'msa é."
Tagann sé amach ar ardán nó stáitse... breathnaíonn sé thart
agus deireann sé rud éigin mar seo:

Fear:
An bhfuil duine ar bith thart anseo
a dhéanfadh liomsa agallamh?
Is cuma bean nó fear é,
óg nó aosta.
Níl aon cháilíocht ag teastáil uait
ach amháin go mbeadh an cloigeann ataithe ort.
Má tá an cloigeann ataithe ort,
beidh an bheirt a'inn mar a chéile.

*(Stadann sé ag súil le freagra ach ní fhaigheann sé aon
fhreagra agus deireann ansin arís:)*

Fanfaidh mise im' sheasamh anseo,
nó go dtabharfaidh duine éigin freagra orm.
Agallamh beirte, mar atá a fhios agaibh,
ní féidir é a dhéanamh i do aonar.
Dá bhféadfainn, ní bheinnse ag brath oraibh —
liom fhéin a dhéanfainn agallamh —
Mar tá cleachtadh mhaith agamsa ar an ealaíon seo;
ní inniu ná inné
ag caint liom fhéin mé.

(Cloistear glór mná i bhfad uaidh is ní i ngar dó.)

Bean:
Tabharfaidh mise freagra ort
ach níl mo chloigeann ataithe.

Fear:
Muise nár raibh tú i bhfad mar sin
ach cé as atá tú ag béiciúch?

Bean:
Tiocfaidh mé chomh fada leat
agus déanfaidh mé leat agallamh
mar, go deimhin, ní deas an t-amharc
i do sheasamh ansin leat fhéin thú.

(Tagann sí chomh fada leis.)

Bean:
Muise, go deimhin, bhí an ceart ar fad agat
nuair a dúirt tú go raibh an cloigeann ataithe ort.

Fear:
Bean a dúirt liom fadó é
ach cheapfainn fhéin go raibh sí in éad liom.

Bean:
Ó, in éad leat — ó ná bí seafóideach.
Inseoidh mise dhuit céard a bhí ag cur isteach uirthi.
B'fhéidir go raibh sí mar an chuid eile againn —
tinn, tuirseach leat ag éisteacht.

Fear:
Nach é an feall, do chailín deas mar thú,
go bhfuil tú chomh haineolach.

Tá daoine ann, a dhriofúirín,
agus ní i bhfad a mhairfidís
mura mbeidís liomsa ag éisteacht.

Bean:
Tá daoine ar aithne agamsa
agus dá gcloisfidís thú,
tar éis éirí ar maidin dóibh,
chaithfidís a dhul a chodladh arís an nóiméad céanna.

Fear:
Ó, anois ná bí ag iarraidh a bheith greannmhar
ná ag aithris orm chomh maith leis sin.
Níl ann ach cur amú ama dhuit
mar níl tú in ann é a dhéanamh.

Bean:
Is é an chaoi a dtiocfaidh sleaic orm
ag aithris ort — céard a cheapanns tú?
An ndéanfadh tusa an rud a déarfadh amadán leat a
dhéanamh?

Fear:
Ó, tá áthas ar a bhfuil thart anseo
go dtáinig mise chomh fada leo.
Téann daoine i bhfad is i ngearr
le bheith liomsa ag éisteacht.
Breathnaigh ar a bhfuil sa halla sin,
tháinig siad ansin le breathnú orm
mar ní minic a bhíonn an seans acu
le breathnú ar mo leithéidse.

Bean:
Má fhanann tusa i bhfad ansin,
ní bheidh mórán sa halla sin.

Nach mbeadh a fhios agat le breathnú orthu
go bhfuil siad tinn tuirseach leat ag éisteacht?
Ní cumadóir is ní aisteoir thú.
Shílfeá go dtuigfeá nach tada thú — capall rása a
dhéanamh d'asal —
Ní féidir sin a dhéanamh.

Fear:
Dá mbeadh aon scil i *talent* a't,
ní labhairfeá ar an mbealach sin,
ach, má tá a fhios a'msa tada,
tá tusa thú fhéin in éad liom;
ach ní thugaim aon mhilleán duit, a chailín,
mar tá a fhios agam go bhfuil tú aineolach.
Ach taitníodh sé leat nó ná taitníodh,
ní bheidh mo leithéidse arís ann.

Bean:
Ó, ní amháin go bhfuil an cloigeann ataithe ort
ach tá tú craiceáilte chomh maith leis sin.
Dún do chlab, a amadáin!
Cén chaoi go mbeinnse in éad leat?
Faigh scathán agus breathnaigh ort fhéin,
agus b'fhéidir go bhfaigheadh tú aithne ort fhéin;
ach ná téirigh ró-ghar dó,
mar déanfaidh tú é a phléascadh.

Fear:
Foighid atá ag teastáil uait,
agus b'fhéidir fós go mbeadh *"talent"* a't.
Dá mbeadh am le spáráil agamsa
ba mhaith liom cabhrú leat dá bhféadfainn.

Bean:
Á, dá mbeadh cabhair ag teastáil uaim,

113

is fada uaitse a d'fhanfainnse.
Comhairle a thógáil ó amadán,
ní moltar é a dhéanamh.

Fear:
Ó, murach go bhfuil tú aineolach,
chloisfeadh tú caint orm,
nó an é an chaoi a gcaitheann tú do chuid ama
i bhfolach ón saol seo?
Tá duaiseanna, cuid mhaith, gnóite a'm —
ní maith liom a bheith ag déanamh gaisce astu.

Bean:
Ní maith leat a bheith ag déanamh gaisce —
sin é an méid atá tú in ann a dhéanamh.
Ceist agam ort agus freagair í:
má táir chomh maith is a cheapann tú,
má tá an oiread duaiseanna bainte amach agat,
cén fáth go bhfuil tú anseo i do aonar?
Murach mise a thug freagra ort,
cé leis a dhéanfá agallamh?

Fear:
Ach níl mise i mo aonar, a chailín,
nach bhfuil tusa anseo taobh liom?

Bean:
Ó, a chairde, tá sé seo craiceáilte
ach tá sé mar seo le fada anois.
An bhfuil áit ar bith ar an mbaile seo
a gcoinneofaí ann a leithéid?
Dá mbeadh sé faoi ghlas go maidin ann,
b'fhéidir go ndéanfadh sé maith éicint dó,
agus bheadh scíth ar feadh tamaill againn,
is gan a bheith leis ag éisteacht.

Fear:
Ó, tá an saol seo siúlta ar fad agam;
bhí mé thall i Sasana.

Bean:
Muise, faraor ghéar nár fhan tú ann,
is gan a bheith ag imeacht thart anseo ag béiciúch.

Fear:
Ó, bhí ómós i gcónaí ag fanacht liom;
ba chuma cén áit a gcastaí mé.

Bean:
Dá mbeadh an oiread aithne ort is atá againne ort,
b'fhéidir go mbeadh malairt scéil a't.

Fear:
Mar aisteoir a cuireadh aithne orm —
nach mbeadh a fhios a't é le breathnú orm.
Dá n-éistfeá anois tamall liom —
déarfaidh mé píosa dhuit le *Shakespeare:*
"Now the stage is bare
and I'm standing there
with emptiness all around
if you don't come back to me
then I must bring the curtain down."

Bean:
Dá mbeadh tú ag caint
go mbeadh do theanga caite a't,
Níl aon rud le foghlaim agamsa uait.
Níl aon rud le foghlaim a'msa uaitse
ná ó éinne,
mar nuair a thiocfaidh sé go dtí aisteoireacht,

is mise fhéin an saineolaí.
Ní inniu ná inné, geallaim dhuit,
a smachtaigh mise an cheird sin.
Ceird inti fhéin í an aisteoireacht,
is ní hé chuile dhuine a smachtaíonn í,
agus nuair a bhíonns bua
mar atá a'msa a't,
tagann sí leat go héasca.
Déanaimse aisteoireacht,
ní le obair chrua ná anró é,
tagann sí liom go nádúrtha;
mar bhláth ag teacht ar chraobh í.

Fear:
An bhfeiceann sibh,
nó an airíonn sibh
an ealaíon atá ag teacht ar an gcailín seo?
Má tá a fhios a'msa tada,
tá an bhean seo ag imeacht léi.
Deir daoine gur galra é seo,
agus go bhfuil sé tógálach chomh maith leis sin.
Ó, má tá an cloigeann ag at uirthi,
beidh an bheirt a'inn mar a chéile.

Bean:
Níor tháinig ariamh an bealach seo
fear ná bean dá n-abróinn é —
Is cuma cé as a dtagann siad,
níl acu mo chuidse tréithe —
gan fuacht, gan faitíos, abraim é.
Dá mbeadh ceart le fáil le fada agam,
ba mise Banríon Chonamara,
ní áirím an Cailín Gaelach.

Fear:
Níl ach bealach amháin,
ceapaimse, le haghaidh deireadh a chur leis an ealaíon seo.
Agallamh beirte, mar a dúirt mé libh,
ní féidir é a dhéanamh i do aonar.
Hóra, a bhanríon Chonamara,
tá mise ag dul abhaile.
Fan ansin más maith leat é,
ach, *by dad*, beidh tú ansin i do aonar.

(Imíonn an fear amach. Deireann an bhean:)

An bhfuil duine ar bith thart anseo
a chríochnódh liomsa agallamh?
Is cuma bean nó fear thú,
óg nó aosta,
ach tá cáilíocht amháin ag teastáil uait,
is é sin go mbeidh tú i do aisteoir maith,
beidh an bheirt a'inn mar a chéile.
Anois, tá an stáitse fágtha fúm fhéin,
is tá an cuirtín réidh le titim ar ais arís.
Mura dtiocfaidh tú,
ní bheidh mé in ann a dhul níos faide.

117

GAILLIMH AG COMÓRADH CHÚIG CHÉAD BLIAIN I 1984

Seo agallamh idir Gaeil bheo na Gaillimhe, Sean-Phádraig Ó Conaire (marbh) agus Treibhanna na Gaillimhe (marbháin eile).

Tosaíonn an tAgallamh seo ar oíche Nollaig Bheag 1984. Tá cloig ag bualadh, agus an-ghleo ar fad ar fud shráideanna na Gaillimhe. Deireann Gaeil na Gaillimhe le Sean-Phádraig d'aon ghlór:

A Shean-Phádraig Uí Chonaire,
Is sinne, le mórmheas duitse,
Baill den ghluaiseacht chultúrtha,
Is tá jab a'inn duit a thuillfeas duitse cáil is cliú.

Inniu, tá Gaillimh ag comóradh
Cúig chéad bliain ó tionóladh
An chéad chruinniú faoin gCairt úd
A bhronn Risteard Rí ar an mBardas.

Tugann Gaillimh cuireadh dhuit
A dhul i gceannas oilithreachta
Atá beartaithe do na Treibheanna
Atá leis an tsíoraíocht ar shlí na ngrást.

'Spáin tusa Cultúr Gaelach na Gaillimhe dóibh,
Rud lena ré nach bhfaca siad;
Oscail a súile marbha, is a gcluasa glan le bealadh iad.
Ansin, fág uair ina seasamh iad ar choirnéal na sráide.

118

Tabhair isteach i dTeach a' Leanna iad,
'Spáin greann is scléip an bhaile dóibh,
'Spáin an ceol is an damhsa dóibh
A bhfuil cáil i bhfad is i ngearr air.

Mar is tusa fhéin ár lasair gheal
A spré ár gcultúr i dtíortha thar lear,
A mhúscail dóchas le stríoc de do pheann —
Is mór é ár mbród asat dá bharr sin.

Tosaíonn Sean-Phádraig ag caint

An gcloisim daoine saolta ag glaoch ar m'ainm...?
Ag tabhairt cuireadh ar ais ón mbás dom?
Is ea, m'anam go gcloisim, agus feicim fir fhiúntacha, agus
ógmhná deasa.
Go deimhin, tiocfaidh mé ar ais agus fáilte.

Ní raibh áit ariamh dá raibh comhluadar ban ann
Nár mhaith liom a bheith ina measc le grá dhóibh;
Is ní bhíodh "aon aird thiar" acu ar aon lead ar an mbaile,
Ach iad bailithe ceart i ndiaidh Phádraig.

Ach idir shúgradh is dháiríre, déanfaidh mé an beart seo.
Déanfaidh mé mo Ghaillimhse a 'spáint dóibh;
Beidh mé mar chinéal ambasadóra
Idir sibhse atá beo agus na treibheanna atá básaithe.

Mar sin siúiligí liom sealad
Siar bóithríní casta agus póirsí fada cúlráideacha,
Thrí laethanta fada, an ghrian thuas ag scalladh,
Agus na hoícheanta gealaí rómánsacha

Glaonn Pádraig ar na treibheanna:

119

Dúisigí, a Threibheanna, a Aithreacha na Gaillimhe!
Ina n-onóir, tá Gaillmhigh an tráth seo
Ag comóradh na páirte a ghlac sibhse in oidhreacht na
Gaillimhe
Is tá ómós is urraim le 'spáint daoibh.

Is mise an dealbh atá anseo ar an gCearnóg —
Tugtar Sean-Phádraig de ghnáth orm;
Thar cheann Mhéara agus Chomhairleoirí an bhaile,
Cuirim romhaibh na seacht gcéad míle fáilte.

Tá clár imeachtaí taitneamhach anseo, leagtha amach a'm,
Ach ar dtús — le baisteadh na hócáide breá seo;
Céard a bheas agaibh — deoch leanna nó branda,
Leis an smior a chur ar ais ina gcnámha?

Tá a fhios a'm gur deoch fhíona nó bhainne an rud is mó a
chleacht sibh ar talamh;
Ní cheadaíonn Naomh Peadar biotáille.
Ó, nárbh é a bhí le ceangal an lá a raibh mé ag éalú isteach
thairis,
Is an "buidéal" faoi m'ascail—as Bearna.

Ach duine lách maiteach, ar ndóigh, é Naomh Peadar —
Bhí sé mór liom arís lá arna mhárach.
Ní dheachaigh an "buidéal" amú, fuair mé a bhlas is a
bholadh
Ar cháca ceiliúrtha Aiséirí na Cásca.

Ach tá mo sheacht ndóthain seafóide faoi seo ráite am'sa,
'Bhfuil muid réidh le haghaidh an tsráid síos a chrágáil?
Feicfidh sibh Gaillimh — ní hé an Gaillimh a chleacht sibh—
Ach Gaillimh thrí shúile Shean-Phádraig.

Cé a lig isteach é?
Gael dúchasach dar m'anam!
Ar dhúirt sé, nó ar inis sé a ainm?
Tuige nach bhfuil a fhios aige a chearta;
Nach bhfuil ceart ná cóir ag "Ó" ná ag "Mac",
Siúl, suí, ná seasamh ar ár sráideanna?
Cá bhfuil na constáblaí?
'Bhfuil siad ag gardáil an gheata?
Is ea, chuaidh sé isteach tharstu. Ní raibh siad ag faire.
Is ea, aniar an fear seo...
Is furasta a aithint óna chanúint...

Stopann Pádraig iad:

Ná cloiseadh muintir na Gaillimhe sibh
Ag rámhailtíocht — dream aisteach sibh.
An é nár thug bhur sliocht ón mbaile seo
Cuntas reatha daoibh ar stair an bhaile a d'fhág siad?
Murar thug, muise, bainfear preab asaibh
Mar níl balla ar bith, ná geata ar bith,
Ná cosc ar bith ar aonduine
Siúl ná seasamh ar shráid ar bith i nGaillimh
Le fada fada an lá anuas.

Freagraíonn na Treibheanna arís:

Nuair a mhair muide ar an mbaile seo,
Ba mhór é a maoin, is a rachmas ann.
Mar thrádálaithe is mar cheannaithe,
Bhí cáil i bhfad is i ngearr orainn.
Cheannaigh muid réimsí móra talún
Ó na Gaeil a chónaigh thart orainn.
Thóg muid tithe móra faisiúnta

Mar ba dhaoine mór le rá muid.

I dtús ár ré is ár slí bheatha ann,
Lenár gcomharsana, níor mheasc muid.
Cheap muid fhéin a choinneáil slán uathu,
Mar bhí na Gaeil úd chomh barbartha,
Gan nósa ná béasa Shasana,
Rud a thug orainn gearradh amach uathu,
Is na ballaí a chur in airde.

Ar ndóigh, ba in rud nár stop an creachadh is an goid.
Ar an nGeata Thiar, bhíodh fógra greanta againn:
"Ó Fhearg Fhíochmhar na bhFlathartach,
A Thiarna Dia, Sábháil Sinn."

Agus an lá ar ghlaoigh Dia go neamh orainn,
An *"Shock"* a fuair ár n-anamacha
Nuair a chonaic muid na Gaeil bharbartha
Sna jabanna ab airde ann.
Ar ndóigh, bhí muid feargach,
Níor thuig muid an dlí aisteach seo,
Chuir muid ár ndrochaimhreas i gcluasa Pheadair
Lá arna mhárach.

Dúirt muid leis gur aithin muid
Na Gaeil a chéas ar talamh muid
Nach raibh "carachtar" ródheas acu,
Agus fáil réidh leo ansin láithreach.

D'fhreagair Peadar i nglór gan tocht:
"Tá Gaeil anseo ó Ré na gCloch.
Tá Gaeil ar sheachtó cúig faoin gcéad
Den Choiste Riaracháin ann."

Le muid a shásamh, cuireadh Coiste Fiosraithe ar bun.

Bhí Micheál Árd-Aingeal os a chionn
Le fáil amach an raibh cóir na nGael ar chóimhéid
Le cóir na dTreibheanna.
Do réir na tuarascála a tháinig as sin,
Léigh Micheál ráiteas a thug le fios
Go raibh bithiúnaigh ar an dá thaobh.

Bhí muide sásta leis an toradh seo —
Tá muid sa gCumann Cairdis ó shoin i leith
Ina bhfuil chuile dhuine bán is dubh
Ar chomhchéim i súile an Árdrí.
Is ea, a Shean-Phádraig, ag tabhairt freagra ort,
Maith dhúinn ár masla dhuit.
Tá ár mbéasa saolta cúig chéad bliain d'aois,
Agus meirgeach dá bharr sin.
Ach tá fuadar is éirí in airde inár gcroíthe,
Agus is fada linn uainn an tsráid uainn síos
Thrí Ghaillimh — a ghráigh muid — a fheiceáil arís
I measc ár sliocht is ár gcairde.

Sean-Phádraig:

Fadó, fadó, nuair a bhí mé óg,
Ba mhillteach an "chraic" a bhíodh ar an bhFaiche Mhór;
Thagadh feilméaraí ón Achréidh is ón Uarán Mór
Ar thóir spailpíní leis an bhfómhar a shábháilt dóibh.

Dá mbeifeá ag dul thart ann,
Chloisfeá an mhargáil ar ndóigh;
Athair an stócaigh ag iarraidh pá níos mó,
An lead beag — a lámh istigh i lámh a dheaideo,
Is an lámh eile i ngreim sheál a mháthar.

Nuair a bhíodh an mhargáil thart,
Is ea a thosaíodh an ceol,

An damhsa, is pléaráca a bhíodh istigh i dteach an óil,
Áit a gcaitheadh na cairde siar pionta nó dhó,
Agus an spailpín — d'óltaí a shláinte.
Deireann Sean-Phádraig stéibh den "Spailpín Fánach" anseo.
Leanann sé air ag caint:

Ag an Dug a rugadh mise
Ar aghaidh na céibhe a d'úsáid sibhse.
Nár bhreá an t-amharc lá bhur gcéadta long
Á luascadh an ród aniar mar bheadh fir ar meisce.
Is nár mhór le rá iad bhur longa tráchta
A tharraing an t-arbhar go tíortha thar sáile,
A tharraing an olann go críocha na Spáinne,
Is a thug abhaile go Gaillimh na hearraí ab áille.

Is ea, seo í an áit a bhfuair mé an chéad léargas
Ar bhád na himirce amach ón gcéibh uaim.
De bharr na boichteanachta, bhí Gaeil i ngéibheann
Gan aon dul as acu ach a dhul i gcéin uainn.

Ba ghoirt na deora a chaoin na mná úd,
Is iad ag fágáil slán ag an mac ab fhearr leo.
Ar an gcéibh a sheasaidís, a súile ag stánadh,
Go dtéadh an bád ó amharc orthu amach ó Árainn.
Casann Sean-Phádraig véarsa nó dhó de *Old Galway Bay* anseo.
Labhrann Gaeil na Gaillimhe le Sean-Phádraig:

Ó ábhar caointe go dtí ábhar áthais:
Nach ar Chuan na Gaillimhe a bhíodh na Geallta —
Seoige Chonamara a thug an barr leo.
Nárbh iad a bhí cumasach ar na maidí rámha?
Agus, a Shean-Phádraig, tar linn ag samhlaíocht
Go Cinn Mhara anonn — tá cruinniú bád ann.
Tá an t-asal beag dubh réidh le thú a ardú leis
Go dtí an oíche bháistí a bhí chomh dubh le áirní...
I Rosmuc duit, is gan laindéar cairr a't,

Ag déanamh ort sa dorchadas, chonaic tú an garda...
D'imir tú cleas air láithreach.

Scaoil tú an t-asal, is d'athraigh tú áit leis.
Cheangail tú 'un deiridh é, is tharraing tú fhéin an cairrín.
"Cá bhfuil do sholas-sa?" a d'fhógair an garda.
Arsa tusa, "Sin rud nach bhfuil fhios agam,
Ach cuir ceist ar an tiománaí!"

Arsa Sean-Phádraig go brionglóideach:

Is ea, an t-asal beag dubh úd a d'iompar chuile áit mé,
Ba é an cara ab fhearr é a bhí agam ariamh.
Thréigeadh an baile mé nuair a bhínn caochta dallta
Ach d'fhanadh seisean ar garda anseo le mo thaobh.
Is nuair a thagadh an samhradh agus fad ar an lá breá,
Bhuaileadh an fhánaíocht muid beirt arís.
Mhealladh na héin muid go Crosbhóthar an Mháma...
Ba é aer úr na mbánta a d'ardaíodh ár gcroíthe.

Sean-Phádraig agus Gaeil na Gaillimhe le chéile:

Is suas linn go Mionloch — tá an Regatta faoi lán tseoil.
An bhfuil ceol ar an domhan chomh haoibhinn lá geallta,
Le na maidí ag bearradh barr uisce mar rásúir?
Agus an féasta is an fleá a bhíodh i Mionloch an lá úd —
Bhíodh brat crochta ón gCaisleán le na cuairteoirí a
fháiltiú;
Bhíodh bannaí ceoil, neart bia is óil curtha ar bord ag na
Blácaigh.
Gnás, ar ndóigh, a loisc an dó, is nar mhillteach an feall é?

Sean-Phádraig:

Na Rásaí! Na Rásaí!
"Race card, race card, bob a card, race card!"

Tarraingíonn na focla seo ar ais mé arís
Go dtí laethanta spórtúla na Rásaí.
Siúd é an port a thagadh a't ar an ngaoth,
Is tú ag déanamh ar an bPáirc an lá sin.
An fuadar beag aisteach a bhíodh thart faoi do chroí
Nuair a thugadh an geallghlacadóir deich gcinn ar an
gceann duit...
Scarfá go faiteach le do phíosa sé pingine,
Mar a scarfadh an marcach le do chapall ar ball beag.

Casann Gaeil na Gaillimhe an t-amhrán *"Sweet Marie"* anseo.
Tagann suan ar Shean-Phádraig. Sula ndúnann sé a shúile deireann sé:

Slán go fóill, a Ghaeil, is a threibheanna —
Luífidh mé siar anois go mbeidh *"Nap"* agam.
Cá bhfuil mo phíopa, mo phíosa sé pingine, agus mo úlla
leagtha a'm?
Ó, tá siad anseo le mo thaobh — go raibh míle maith
agaibh.

Foireann an dráma

Tomás Jimmy Mac Eoin

Le Fiche Bliain Anuas

Caiséad ar a bhfuil

1. An Cailín Álainn
2. Bleán na Bó
3. Amhrán Sheáin-óig Uí Thuama
4. Níl Sé 'na Lá
5. Sé Íosa an Fíréan
6. The Queen of Connemara
7. Mé Féin 's Tú Féin
8. An Cailín Uasal
9. Colcannon
10. Cailleadh an Airgid
11. An Bonnán Buí
12. An Spailpín Fánach
13. A Íosa, A Íosa
14. Cóilín Phádraic Shéamais

Le fáil ó: Cló Iar-Chonnachta,
Indreabhán
Co. na Gaillimhe
ar £5.99